W9-BSX-225

l'Art de Vivre
EN PROVENCE

l'Art de Vivre

EN PROVENCE

par Pierre Moulin, Pierre Le Vec,
et Linda Dannenberg

Photographies de Guy Bouchet
Direction artistique Paul Hardy
Traduction de Janick Bourhis

Flammarion

© Charles Démery

A la mémoire de
Mady del Medico
A Alice Le Vec
A Steven Sarle

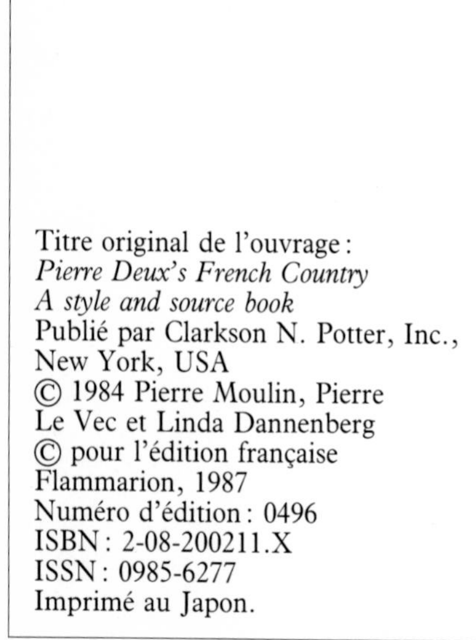

Titre original de l'ouvrage :
Pierre Deux's French Country
A style and source book
Publié par Clarkson N. Potter, Inc.,
New York, USA
© 1984 Pierre Moulin, Pierre
Le Vec et Linda Dannenberg
© pour l'édition française
Flammarion, 1987
Numéro d'édition : 0496
ISBN : 2-08-200211.X
ISSN : 0985-6277
Imprimé au Japon.

REMERCIEMENTS

Du début à la fin, la réalisation de ce livre a été un véritable plaisir. L'exubérance et la générosité de l'esprit provençal nous ont enveloppé et porté tout au long de ces journées, fatigantes parfois lorsque la température, ce qui n'est pas rare en été, atteignait les 40 °C.

Nous sommes redevables à nombre de personnes, en France et aux États-Unis, de l'aide, de la coopération, de l'enthousiasme et du temps qu'elles ont bien voulu nous accorder.

Pour leur intérêt et les suggestions qu'elles nous ont faites durant la préparation du livre, nous remercions Michèle Le Ménestrel et son équipe des *Vieilles Maisons Françaises*, Sylvie Hourdin et Christine Puech, rédactrices à *La Maison de Marie-Claire*, Esther Carliner Viros et Françoise Ledoux-Wernert.

Que la « famille » Pierre Deux soit ici particulièrement remerciée pour le temps et les efforts prodigués bien au-delà des contraintes professionnelles : Stephen Jiavis de Beverly Hills, Connie et Gus Pentek de San Francisco, Diane Caroll de Carmel, Paul Reddick de Houston, Kathy Turman de Dallas et Michael Meyers de la Nouvelle-Orléans. Nous devons beaucoup également à la participation enthousiaste de Anka Lefebvre de New York et à l'aide précieuse de Serge Bisono à Paris. Les recherches effectuées par David Frost et Barbara Zauft ont été inestimables et hautement appréciées.

Nous voudrions également parler de la rigueur et de la dextérité de John De Deus, artisan exemplaire, et des conseils avisés prodigués par notre bon ami Jean Dive, décorateur d'intérieur à Paris, dont le goût infaillible lui a assuré une renommée mondiale.

Nous sommes particulièrement reconnaissants envers les personnes qui nous ont ouvert leurs maisons : sans elles, ce livre n'existerait pas. Il s'agit, en France, du marquis et de la marquise de Barbentane, de Jean-Louis Brunet et de son accueillante famille du Mas d'Aigret, de René et Andrée Burow, de M. et Mme Denys Colomb de Daunant, d'Hélène et Pierre Degrugillier du Mas de Curebourg, de Dick Dumas aux Imberts, de Jean Faucon de l'atelier Bernard, de Madeleine Ferragut et Nicole Barra, les « Antiquaires du Paradou », de Paul Hanbury et Robert Schootemeyer, de Mme Julian, de Jean Lafont, de Mme Y. de Longpré, du Mas Saint-Roch, de M. et Mme Pascal Navarro, de la Maison de la Tour, de M. et Mme Pechrikian-Raffi, de Marcel Perret, de M. et Mme Peyraud, du Domaine Tempier (avec une pensée particulière pour leurs vins rouges et rosés de renommée internationale), de Tonia et Claude Peyrot enfin, qui nous ont ouvert leur maison et leur Atelier de Ségriès. Nous n'oublions pas bien sûr la famille Deméry tout entière : Charles[*] et Annie, Christiane, Jean-Pierre et Christine, Régine et Francis, qui ont su si bien nous faire partager leur grande connaissance et leur grand amour de la Provence, nous permettant de photographier « La Souleiado » à Tarascon, ainsi que leurs propres maisons, et nous accueillant toujours avec beaucoup de chaleur.

Quant aux États-Unis, nous tenons à y remercier Ross Bagdasarian Jr et Janice Karman, Geoffrey Beene, Helen Gurley Brown, Virginia Campbell, Robert Domergue, Sandy Duncan et Don Correia, Mercès Freeman, Robert Grabow, Joan Graves, Tammy Grimes, Suzanne Hicks, Cathy Kincaid, Leslie Kohnke, Wayne et Lydie Marshall, Charleen Matoza, Milton Melton et Stephen Scalia, John Newcomb, M. et Mme Will Ohmstede, Jane Osgood, Charles Sanders et Ed Harris, M. et Mme Larry Saper, Le Somers, Sam Watters, Susan Wood ainsi que Tim et Nina Zagat.

Nous avons eu recours à plusieurs ouvrages pour étayer nos informations. En voici la liste : *Le Mobilier provençal*, de Henri Algoud, publié par Charles Massin et Cie en 1927 ; *Le Mobilier des vieilles provinces de France*, de J. Gauthier, publié par Charles Massin et Cie en 1933 ; *Maisons rurales et vie paysanne en Provence*, de Jean-Luc Massot, publié aux Éditions Serg en 1975 ; *Styles de Provence*, de Jean Chaumely, publié et distribué à titre privé par les Ciments Lafarge et, enfin, *Mobilier provençal*, de Lucile Oliver, publié aux Éditions Charles Massin. Sans les encouragements, l'aide et le travail acharné de nos agents, Deborah Geltman et Gayle Benderoff, nous n'aurions peut-être fait que rêver sur ces livres. Ils ont fait prendre corps à nos idées, et nous les en remercions infiniment.

Nous devons la présentation exceptionnelle et la mise en forme de ces pages à Paul Hardy, brillant maquettiste, qui, dès le début, a aimé l'idée de ce livre et a donc travaillé sans compter afin de mettre en page nos mots et nos photographies de la manière la plus remarquable. Nous remercions aussi Gael Towey Dillon, directeur artistique particulièrement doué de Clarkson N. Potter Inc., pour le regard aigu et l'attention extrême qu'il n'a cessé de porter sur l'aspect esthétique du projet.

Nous voudrions finalement faire part à notre éditrice Nancy Novogrod de notre grande admiration pour sa parfaite connaissance de l'édition et la remercier de son soutien chaleureux et de ses suggestions qui, sans nul doute, ont contribué à rapprocher ce livre, un peu plus, de la perfection.

Pierre Moulin
Pierre Le Vec
Linda Dannenberg

* *N.d.T.* : Charles Deméry est décédé en 1986.

SOMMAIRE

Une allée de majestueux platanes conduit au Château de Roussan.

INTRODUCTION

Jusqu'à la fin du XVe siècle, la Provence est constituée d'un ensemble de petits États indépendants de la France, et cette distinction reste, à maints égards, d'actualité. En effet, bien que le provençal soit tombé en désuétude et qu'elle ne dispose plus d'un gouvernement autonome, cette région du Sud de la France aux terres fertiles et ensoleillées a gardé une place à part : sa personnalité et son style uniques, ses traditions profondément enracinées et sa joie de vivre contagieuse en font dans l'esprit, sinon dans la lettre, une principauté.

La Provence, c'est l'immédiate griserie de tous les sens : l'air monte à la tête, chargé des puissantes fragrances aromatiques du romarin, du thym et de la lavande ; le soleil, énorme, éclatant, rayonne avec tant de force qu'il semble vibrer ; les vents, des douces brises à l'impitoyable mistral, apportent la fraîcheur et purifient l'air et le chant des cigales résonne encore longtemps après qu'elles se sont tues. La Provence est une contrée au-delà des normes et du temps, un pays de rêve. La lumière y est telle que nulle part ailleurs : intense et pure, n'a-t-elle pas envoûté Paul Cézanne et Vincent Van Gogh ? Inoubliable également l'harmonie régnant entre la terre, l'architecture et les hommes. Peu d'endroits atteignent ainsi à la perfection. Tous les éléments (humain, géologique, botanique, architectural) se fondent ici harmonieusement pour créer des perspectives dont les couleurs, les formes et les lignes sont une joie pour l'œil et un apaisement pour l'esprit.

Le style provençal, dans toutes ses œuvres (mobilier, architecture, toitures de tuiles, tissus imprimés, alimentation, décoration d'intérieur, aménagement de jardin) reflète la richesse, la diversité et le caractère du lumineux pays dont il est né. Ce style, à la fois rustique et élégant, a su charmer des millions de visiteurs et influencer un

Le Château de Roussan, petit hôtel à proximité de Saint-Rémy, est un exemple classique de bastide du XVIIIe siècle.

A gauche et ci-dessus : ces objets façonnés, antérieurs à la période romaine (VIIᵉ au IIᵉ siècle avant Jésus-Christ) ont été découverts dans le jardin du Mas d'Aigret, aux Baux-de-Provence. Ils attestent l'ancienneté de l'héritage de cette région. Ce petit bas-relief de terre cuite et ce vase irisé en verre soufflé ont été photographiés en haut des collines des Baux.

tout aussi grand nombre de décorateurs de par le monde. Il est en fait l'expression la plus connue de l'artisanat français, dont il incarne merveilleusement la chaleur, l'imagination, l'habileté et le charme.

L'imagination populaire le conçoit plus pittoresque, plus rustique qu'il n'est en réalité. En effet, s'il existe bien de ces charmantes maisons au mobilier à l'ancienne, les collines et les plaines recèlent également des tendances et des factures multiples. L'objet de ce livre sera justement de montrer que le style provençal est tout sauf un cliché. Il est l'élégance dans cette propriété vinicole des environs de Saint-Rémy, il est la simplicité dans cette maisonnette d'un rose délavé du Paradou, il est l'intimité dans cette cabane de gardian plantée dans une vaste ferme de la Camargue profonde, il est la majesté dans ce mas Renaissance des Alpilles.

L'art en Provence a évolué au cours des siècles, intégrant les influences les plus diverses, avant d'acquérir son caractère authentique et parfaitement adapté au pays. Aucun souverain et aucune école esthétique n'ont imposé leurs normes. Nulle trace dans les cabanons, châteaux et mas de Provence de la moindre volonté de cohésion, voire de continuité entre les différentes époques. Le Provençal fait un tout de ce qu'il aime, de ce qui lui est indispensable et de l'hérirage familial. Le résultat est éclectique mais non dépourvu d'harmonie. Les meilleures créations du genre allient confort, élégance et grâce —

Taureaux sur le pré en Camargue

heureuse alchimie de couleur, de texture, de substance et de lumière qui accueille et charme sans détour.

Le style provençal permet les interprétations les plus diverses, c'est pourquoi il s'adapte si facilement. Il a, néanmoins, quelques caractéristiques fondamentales. Point de cristal ni de porcelaine délicats, mais le verre soufflé de Biot, épais et bullé, et la faïence tournée à la main de Moustiers. Point de pâles soieries ni de satins brochés, mais des cotons aux dessins éclatants. Point de chaises capitonnées aux pieds dorés et fragiles, mais les canapés paillés d'Uzès, décorés d'un naïf bouquet de fleurs et conçus pour la vie familiale. Point de toits d'ardoises, lisses et symétriques comme à Paris, mais un patchwork irrégulier de toits de tuiles rondes et marbrées à Lourmarin. Point de pelouses tracées au cordeau mais les collines accidentées des Baux-de-Provence, couvertes de romarin sauvage et couronnées de cyprès qui se balancent au gré des vents.

Ces toits serrés recouverts de tuiles rondes caractérisent les nombreuses petites villes et les villages nichés dans le Lubéron au nord d'Aix-en-Provence.

L'art décoratif a su intégrer et adapter les tendances dominantes émanant de Paris — styles des différents Louis, Directoire, Empire, Napoléon III... — et les a transformées, au fil des ans, en un style original. Tant il est vrai que l'artisanat d'une région est façonné en profondeur par la terre et les hommes plus que par des courants venus de l'extérieur. Il est en effet le produit de l'art de vivre, du climat, de la géographie, des matériaux disponibles — toutes considérations concrètes fort éloignées de la mode. La Provence n'a pas été soumise aux seules influences parisiennes. Le Sud-Ouest en particulier conserve l'héritage des Phocéens et des Romains, ces maîtres-bâtisseurs au sens aigu de l'esthétique. Leurs civilisations, florissantes autour de la naissance du Christ, ont laissé ces

Source : Pinkerton. - *Modern Atlas* : Cadell & Davies, Londres, 1809.

P

Sur des falaises de bauxite déchiquetées s'élève ce spectaculaire monument du passé : la cité des Baux-de-Provence, édifiée au XIIIe siècle, autrefois la plus puissante place forte de la région.

Provence pastorale : à proximité de Moustiers, dans les collines des Basses-Alpes, le soleil couchant jette ses derniers feux sur les champs de blé et

empreintes qui, aujourd'hui encore, embellissent le paysage. Plus tard, aux XVIIe et XVIIIe siècles, les artisans italiens, en route vers le Nord en quête d'ouvrage, laissent aussi des traces de leur passage, de même que les navires marchands en provenance des Indes Orientales et déchargeant leurs cargaisons de produits exotiques et colorés sur le port de Marseille. Pourtant, ces influences n'ont jamais transformé radicalement la vision des artistes et artisans provençaux, mais leur ont ouvert des perspectives nouvelles.

La Provence ne cultive ni l'abstraction ni la sobriété, la décoration de ses intérieurs en témoigne par son exubérance, son lyrisme, sa grâce, voire son extravagance. La Provence personnifiée n'a rien de l'intellectuel pâle et mystérieux, du dandy à la moue dédaigneuse ou de la grande dame à l'élégance sans défaut et au sourire suffisant. Ce serait plutôt ce conteur intarissable, démonstratif et jovial, qui vous donne l'impression, au bout de dix minutes, de le connaître depuis toujours.

Jamais stylisé, artificiel ou prétentieux, le génie provençal, dans toutes ses manifestations, est original, confortable, charmant et d'une facture exquise. Ainsi, les massives armoires en noyer du XVIIIe conçues par les artisans d'Arles ou de Fourques pour durer des siècles, les manteaux de cheminée en pierre sculptée d'Apt, les éclatants tissus imprimés à la main de l'entreprise Souleiado à Tarascon, les jardins d'herbes aromatiques de Fontvieille, la bouillabaisse de Marseille, les fermes isolées à l'ombre des cyprès surplombant la vallée du Rhône, la décoration pleine d'imagination des cuisines des Bouches-du-Rhône, les barbecues de pierre de Gordes, les vins rosés de Bandol, tous participent à créer sa singularité.

A l'arrière du Château de Roussan, un fournil abandonné, couvert de lierre et de vigne, jouxte un plan d'eau bordé de massives statues de pierre du XVIIIe siècle.

Ce magasin, avec maison d'habitation à l'étage, situé dans un vieux quartier de Saint-Rémy, est typiquement provençal avec son rideau de buis pour éloigner les mouches, ses fleurs en pots à toutes les fenêtres et sa triple génoise (frise composée de tuiles superposées).

La Provence peut être divisée en trois parties : la vallée du Rhône à l'ouest, riche héritière des Romains et traditionnellement artisanale, le littoral baigné par la Méditerranée et porte ouverte sur le monde par les ports de Marseille, Toulon et Nice, et enfin la région alpine, plus pauvre, rurale, isolée et austère.
Les chapitres suivants sont consacrés à la Provence de la vallée du Rhône et plus précisément au triangle formé par Arles, Avignon et Aix-en-Provence. Cette contrée, particulièrement riche, créatrice et dotée d'une vie culturelle très ancienne, est sans conteste le centre de rayonnement du style proençal. Cependant, quelques maisons, artisans ou événements présentant un intérêt particulier ont parfois fait éclater ces limites.

Le chapitre « Influences provençales » a pour objet de montrer avec quel bonheur l'artisanat provençal peut s'adapter loin de ses sources et comment il peut être mis en valeur, marié à d'autres styles : certaines photographies montrent quelques pièces bretonnes, normandes et alsaciennes, qui peuvent tout à fait s'intégrer à la décoration d'une maison comprenant des éléments de style provençal. Quelques meubles, couleurs, tissus et objets décoratifs typiques, ainsi qu'un peu d'imagination et d'enthousiasme, qualités essentielles à la création d'un style en général, suffisent à recréer l'atmosphère provençale pratiquement partout. Ainsi, loin du terrible mistral et de l'ardent soleil du Midi, le charme de la Provence opère encore.

Cette plantation d'abricotiers à côté des Baux-de-Provence est sévèrement gardée !

Fenêtre ouverte reflétant les toits de Moustiers. Cette maison, rénovée récemment, date du XVIIIe siècle.

BEURRES
VOLAILLES
ŒUFS
GIBIERS
DETAIL
CHIAPELLO
GROS

LES COULEURS

« ... Ces maisons jaunes dans le soleil, et puis l'incomparable fraîcheur du bleu. Tout le terrain est jaune aussi, la maison à gauche est rose à volets verts, celle qui est ombragée par un arbre... Le sol est à carreaux rouges. Le bois du lit et les chaises sont jaune beurre frais, le drap et les oreillers citron vert très clair. La couverture rouge écarlate. La fenêtre verte... Les portes lilas. » Vincent Van Gogh, *Lettres à son frère Théo*.

Les chaudes et riches couleurs de la Provence sont celles de la terre, des fleurs, du ciel et de la mer : cette palette aux multiples nuances n'a pas manqué d'inspirer artistes et artisans. Exaltées par le soleil, qui darde ses rayons dans une atmosphère cristalline — œuvre du mistral —, ces couleurs sont pures, authentiques et incomparables. Ainsi s'exprime Vincent Van Gogh dans une autre de ses lettres d'Arles : « C'est devenu tout autre chose qu'au printemps, mais certes j'aime pas moins la nature qui commence à être brûlée maintenant. Dans tout il y a maintenant du vieil or, du bronze, du cuivre dirait-on,

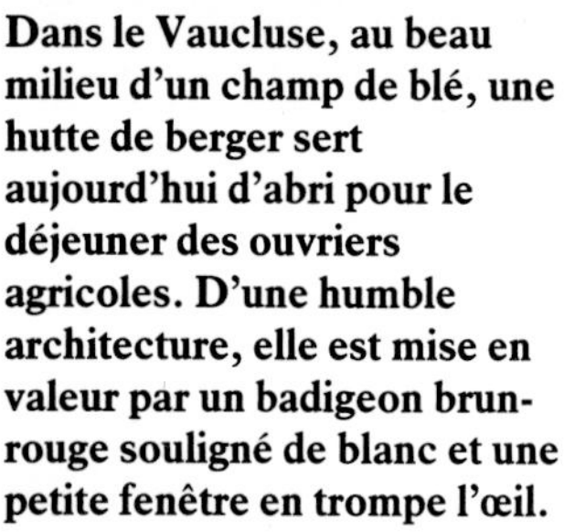

Dans le Vaucluse, au beau milieu d'un champ de blé, une hutte de berger sert aujourd'hui d'abri pour le déjeuner des ouvriers agricoles. D'une humble architecture, elle est mise en valeur par un badigeon brun-rouge souligné de blanc et une petite fenêtre en trompe l'œil.

Ci-dessous, les collines de bauxite rouge de Maussane ouvrent la perspective sur les Alpilles que l'on aperçoit au loin.

A droite et page de droite : cultivée ou sauvage, la lavande aux puissantes fragrances est omniprésente dans la campagne provençale.

A droite, l'un des sujets de prédilection de Vincent Van Gogh : les hélianthes, appelés communément « tournesols », car leur fleur suit tout le jour la course du soleil. Ici, en fin d'après-midi, ils font face à l'ouest.

et cela avec l'azur vert du ciel chauffé à blanc, cela donne une couleur délicieuse, excessivement harmonieuse, avec des tons rompus à la Delacroix. » Tous ces ocre, roux, vert argent, bleu ciel, rose foncé, garance, jaune d'or et bleu lavande caractéristiques des paysages de la région sont repris et développés dans les teintes des meubles, les tissus, les tuiles, la décoration des maisons et des jardins. Autre exemple de l'harmonie qui règne dans ce lieu, les couleurs naturelles et les compositions des hommes se fondent en un subtil échange.

Ci-dessus : vert passé sur feuille morte, ces vieux thermomètres agricoles font leur petit effet sur une grange de la propriété de Maillane.

Ci-dessus, les collines de bauxite blanche des Baux-de-Provence, dans toutes leurs nuances, du jaune chamois au gris perle. Elles sont riches en fossiles marins, témoins des bouleversements préhistoriques. Ci-dessus à droite, dans une ruelle des vieux quartiers de Saint-Rémy, cette petite maison, construite en 1487, est une ancienne boulangerie (comme en témoigne sa plaque murale). Le tendre bleu-gris de la porte et des volets est relevé par le jaune citron des jardinières et du trottoir.

Ci-dessus, remarquable effet de contraste sur cette ancienne horlogerie des années vingt sise à Saint-Rémy : le vert olive des volets s'oppose au rouge souligné de blanc des lettres de l'enseigne.

A gauche, les herbes folles de Provence participent aussi à la beauté du paysage en y ajoutant leur touche d'or terni.

Au Château de Barbentane, près d'Avignon, une inscription, gravée au-dessus des portes vert cyprès des étables du XVIIIe siècle, renseigne sur leurs occupants.

Les couleurs de la petite maison ci-dessus, construite au Paradou en 1750, rappellent les nuances d'ocre et de rouge du paysage dues à la présence de bauxite.

Ci-dessus, les lauriers-roses, très répandus en Basse-Provence, ornent les chemins privés et les jardins en rutilants massifs.

A gauche, ce mas rénové à Saint-Rémy vient d'être peint en rouge rosé et en bleu outremer. Ces couleurs s'estomperont au fil des saisons pour donner finalement les rose cendré et bleu glycine escomptés.

5
Tapissier en Meubles - Litier
MARCHESI
Ebénisterie Menuiserie
RUELLE
SAINT-MARTIN

Le vieux Nice, petite ville imbriquée au-dessus du Nice moderne, offre à la vue un kaléidoscope de couleurs et de perspectives. Ici, plus que partout en Provence, les habitants marient les couleurs pour décorer maisons et magasins.

Peintures murales du XIXe siècle dans une maison du XVIe à Ménerbes, au milieu des collines. Il n'était pas rare autrefois que des artistes locaux décorent ainsi l'intérieur des maisons. Aujourd'hui, la plupart de ces fresques ont disparu sous d'épaisses couches de peinture.

Même intérieur vu sous un autre angle (du côté opposé à l'armoire). Le soleil du matin est si puissant qu'il semble pousser cette lourde porte contemporaine de la maison. Sur les plafonds et le bas des murs, l'artiste a tenté, à sa manière naïve et charmante, de créer des moulures et des lambris en trompe l'œil.

A gauche, treille aux feuilles mouchetées de bleu pâle, couleur du sulfate de cuivre, dont on les pulvérise afin de les protéger contre les maladies cryptogamiques.

Ci-dessous, les eaux vert jade d'une rivière à l'air tranquille, le Verdon, coulent dans des gorges impressionnantes au sud de Moustiers.

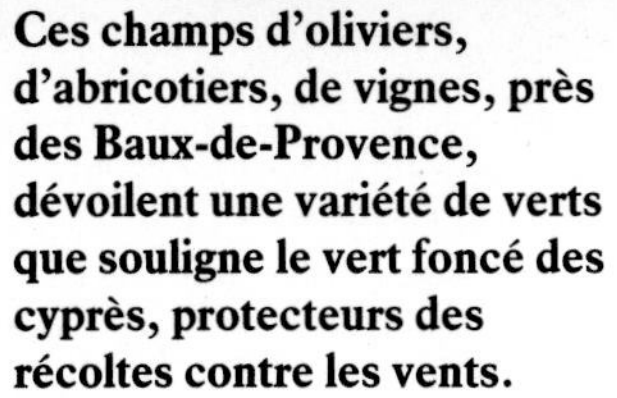

Ces champs d'oliviers, d'abricotiers, de vignes, près des Baux-de-Provence, dévoilent une variété de verts que souligne le vert foncé des cyprès, protecteurs des récoltes contre les vents.

Les trois photographies ci-dessus ont été prises lors de la Foire annuelle des Tilleuls, qui a lieu dans la petite ville de Buis-les-Baronnies les premier et second mercredis de juillet. Les fermiers du pays y apportent leur récolte de fleurs de tilleul jaune-vert afin de la faire peser, puis de la vendre. Le tilleul, réputé pour ses vertus calmantes, entre dans la préparation de tisanes et de produits de beauté.

Le vert argenté des feuilles d'olivier, à gauche, est une couleur typique, que l'on retrouve fréquemment en ornementation (peinture extérieure, tissus et meubles).

LES TISSUS

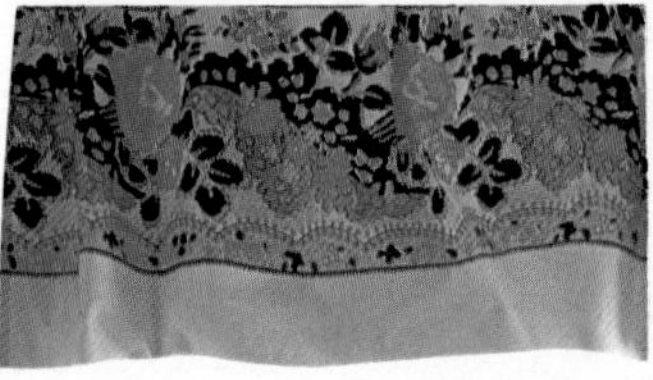

Les greniers obscurs et confinés de l'hôtel du XVIIIe siècle qui abrite les ateliers de Souleiado, en Provence occidentale, recèlent la genèse et l'histoire des magnifiques tissus provençaux. En cet endroit, soigneusement empilées et répertoriées, 40 000 planches gravées en bois d'arbre fruitier, datant des XVIIIe et XIXe siècles, constituent une bibliothèque rarissime de décors. Fruits, motifs floraux et géométriques, impressions cachemire des plus raffinés aux plus extravagants, cette collection est presque aussi considérable que celle du Musée de l'Impression sur Étoffes en Alsace. Souleiado, la plus importante

des entreprises françaises de production de cotonnades provençales, imprime à l'heure actuelle la plupart de ses tissus de manière industrielle tout en exécutant encore, mais sur commande uniquement, quelques impressions à la main. Mais, imprimée à la main ou par de gros rouleaux de cuivre, toute la production actuelle s'inspire des dessins sculptés par des artisans il y a plus de deux cents ans. Il existe, en Provence, plusieurs autres producteurs : les Olivades, par exemple, plus récent, ou encore Val Drôme, petite entreprise ancienne, dont la production consiste surtout en tabliers et sacs à herbes aromatiques. Aucune cependant ne peut rivaliser avec Souleiado pour ce qui est de la qualité ou de la production.

L'harmonieuse combinaison de trois éléments donne à ces tissus leur charme irrésistible. D'abord, une étoffe de qualité supérieure — plus de 60 fils au centimètre carré — à chaîne très fine et trame légèrement plus lourde. Puis, la grâce des motifs, curieuse alliance de naïveté et de complexité, et enfin les couleurs chaudes et variées, de la plus subtile à la plus éclatante, inspirées de la campagne provençale.

A droite : séchage des pièces de coton imprimées à la main dans un atelier aéré de Souleiado à Tarascon. La planche en cuivre, au premier plan à gauche, sert à imprimer le contour du motif. Les couleurs sont ensuite appliquées en passages successifs (rouge, bleu, vert, jaune) à l'aide des planches numérotées (à l'arrière-plan). Ci-dessus : ouvriers du textile posant dans le même atelier vers 1905.

Le centre mondial de production de ces cotonnades imprimées tant recherchées se trouve à Tarascon, une vieille petite ville des bords du Rhône. Derrière son haut mur de pierre et ses grilles vertes, La Souleiado, comme on la nomme ici, est une entreprise familiale exploitée par Jean-Pierre Deméry, sa mère et ses deux sœurs, Christiane et Régine. La fondation de la société par un certain Monsieur Jourdan remonte à la fin du XVIIIe siècle. Vendue en 1865 à la famille Veran, qui l'exploite jusqu'en 1912, elle passe alors aux mains de Charles Deméry. Ce dernier, en 1938, la revend à son neveu du même nom, qui la dirigera jusqu'en 1986. Après son décès, son fils, Jean-Pierre, lui succède. Lorsque Charles Deméry prend possession de l'entreprise en 1938, elle n'a pratiquement pas changé depuis l'époque de Monsieur Jourdan. Elle est minuscule et compte cinq ouvriers qui utilisent encore les teintures végétales et les planches d'origine. Ils n'impriment alors que des « mouchoirs », grands châles de couleur différente selon l'âge des femmes qui les portent. Les « enluminés », vivement colorés, sont destinés aux filles et aux jeunes femmes, les « grisailles », camaïeux de gris, aux femmes d'un certain âge, et les « deuils », aux femmes âgées et aux veuves. Aux jours les meilleurs, ils ne produisent guère plus d'une centaine de « mouchoirs ».

Tandis que les greniers de Souleiado conservent des vestiges du XIXe, voire du XVIIIe siècle — l'escalier principal aux pierres usées par trois cents ans d'utilisation, le laboratoire éclaboussé de teinture, les greniers remplis de planches d'impression tissées de toiles d'araignées — il faut remonter plus avant encore

Ci-dessous : les « boutis », couvre-lits provençaux en indienne piquée, font traditionnellement partie du trousseau d'une jeune mariée. Celui-ci, bordé d'un motif floral, date du XIXe siècle.

A droite : boutis imprimés entre 1820 et 1870. Celui de gauche, au fond bleu éclatant, est particulièrement remarquable : c'est un classique de la période Napoléon III (1852-1870). Le pot en terre émaillée de jaune date de 1850 environ et a été fabriqué dans les environs de l'Isle-sur-la-Sorgue.

dans l'histoire, jusqu'au milieu du XVIIe siècle, pour trouver les origines du tissu provençal. La fascination naissante de l'Occident pour les éclatantes cotonnades imprimées, et parallèlement la naissance de l'industrie cotonnière moderne, date de la création de la Compagnie des Indes en 1664. Les bateaux arrivant au port de Marseille apportent alors, parmi d'autres marchandises exotiques, des toiles imprimées aux couleurs vives en provenance des Indes. Les Français sont immédiatement éblouis par les motifs recherchés et les tons remarquables de ces étoffes absolument inédites. Fait non moins extraordinaire, les couleurs grand teint de ces étoffes représentent un véritable miracle en ce XVIIe siècle. Appelés « chintz » ou « calicot » (de l'hindi), ou simplement « indiennes », ces tissus sont originaux et extrêmement onéreux : ils ne tardent pas à s'emparer de l'imagination — et des louis d'or ! — de l'aristocratie et de la haute bourgeoisie.

Ces indiennes remportent un succès fou à Paris et à la cour de Louis XIV à Versailles. Les femmes les portent en jupes, robes, petits tabliers et corsages et les hommes en gilets, robes de chambre et pourpoints. Dans tout le royaume, elles habillent également murs, lits, canapés et fenêtres. Lorsque Madame de Sévigné rend visite à sa fille en Provence en 1672, elle lui en fait porter une malle complète en cadeau. L'engouement est tel que Molière, lors de la première de son *Bourgeois Gentilhomme* devant Louis XIV, le 14 octobre 1670, revêt un arc-en-ciel d'indiennes pour interpréter Monsieur Jourdain.

En bonne logique commerciale, l'industrie textile française réagit au succès des indiennes en créant ses propres ateliers de fabrication. Cette nouvelle industrie, l'avenir selon certains, détourne alors de nombreux artisans et ouvriers des industries lyonnaises de la soie et de la laine, au grand dam de leurs propriétaires. La situation s'aggrave au point que de nombreuses sociétés ayant pignon sur rue commencent à péricliter et, en 1681, doivent fermer leurs portes. Des émeutes et des manifestations

Pique-nique dans une cerisaie à côté de l'Isle-sur-la-Sorgue. Le boutis au motif de cerises sur fond crème (détail sur photo de droite) est un exemple type des piqués romantiques réalisés en Provence entre 1840 et 1850. Les pichets du XIXe et les assiettes de faïence sont également une production locale.

éclatent à Paris et à Lyon, tandis que les propriétaires des usines concernées pèsent de tout leur poids auprès de Louis XIV afin qu'il sauve leur industrie.

Le 26 octobre 1686, un décret royal interdit la production et l'importation d'indiennes. Des stocks sont saisis et les marchands doivent chercher d'autres ports pour leurs cargaisons. Cette mesure ne produit cependant pas l'effet escompté : elle exacerbe au contraire l'engouement pour les indiennes, qui, sans elle, aurait probablement fini par s'apaiser. Les indiennes sont alors introduites en contrebande et vendues à des prix prohibitifs : le Tout-Versailles est insatiable ! Exemple criant d'inégalité devant la loi, les seigneurs et les grandes dames de la cour, s'estimant « au-dessus des lois », vont jusqu'à ouvrir leurs propres ateliers. Ainsi le duc de Bourbon dans son Château de Chantilly, ou Madame de Pompadour accordant sa protection à des artisans parisiens.

L'interdiction est finalement levée par Louis XV en 1754, après des décennies d'application plutôt laxiste de la loi. Entre-temps, nombre de manufactures nouvelles sont nées, qui produisent des indiennes sans aucun contrôle. Améliorer les techniques d'impression devient rapidement l'objet d'une

Motifs originaux des XVIIIe et XIXe siècles extraits des riches archives de Souleiado.

Le laboratoire de Souleiado à Tarascon a peu changé d'aspect en cent cinquante ans : les vitres y sont toujours éclaboussées de gouttes de teinture.

concurrence toujours plus acharnée. En effet, la qualité des cotonnades françaises reste largement inférieure à celle des étoffes indiennes. En 1734, la Compagnie des Indes ordonne à l'un des siens, le jeune Antoine de Beaulieu, de procéder à une sorte d'espionnage industriel à Pondichéry en Inde. Il a pour mission de rapporter la composition des teintures végétales utilisées par les artisans indiens, ainsi que leurs procédés d'impression.

Au terme de plusieurs mois d'observation, de Beaulieu rédige un rapport détaillé accompagné d'échantillons de tissu aux différents stades de l'impression.

Ce rapport permet à l'industrie française de reproduire les teintes et la qualité des indiennes d'origine. La clé du problème s'est révélée être, en effet, l'utilisation de sels de fixation (les « mordants ») qui, mêlés à la matière colorante, la rendent insoluble dans l'eau. Cette composition, épaissie à la gomme arabique pour une meilleure pénétration de l'étoffe, permet de réaliser dès lors des imprimés solides.

Au cours de la seconde moitié du XVIIIe siècle, les artisans français produisent de superbes étoffes imprimées, certes d'inspiration indienne, mais reflétant les teintes et la flore des régions de fabrication. Le siècle suivant ne voit point baisser la popularité des indiennes en dépit de l'évolution des styles et des goûts. Sous Louis XVI et après la Révolution, les décors les plus populaires sont les fleurs, vignes et herbes sur un fond couleur bronze, que l'on nomme d'ailleurs « les bonnes herbes ». Sous le Directoire, plus stylisé, les motifs géométriques, d'allure singulièrement contemporaine, ont la préférence : carrés, rayures et ovales en dégradés de mauve, olive et puce. Le début du XIXe siècle voit naître la mode des minuscules dessins « mille-raies », « pois » et « petits cercles ». Napoléon, qui les trouvait ravissants, en offrit sans compter à Joséphine et aux dames de sa cour.

La révolution industrielle, au milieu du XIXe siècle, sonne le glas de l'impression artisanale sur coton. Les petits producteurs, qui jusqu'alors travaillaient « à la planche », ferment boutique ou fusionnent avec les grands industriels du textile qui ont opté pour la mécanisation des ateliers. Des collections entières de planches gravées sont brûlées sur l'autel du progrès. Seules quelques manufactures, implantées dans des régions restées à l'écart du courant industriel — notamment la Basse-Provence et l'Alsace —, continuent à imprimer à la main les cotons destinés à la confection des costumes régionaux. Les indiennes traditionnelles entraient en défaveur pour tout un siècle.

En 1938, lorsque Charles Deméry reprend l'entreprise, il lui fait franchir le pas qui la sépare du XXe siècle. Il commence par la rebaptiser et la nomme

Mesures en cuivre faites main, suspendues au-dessus de l'évier de pierre dans le laboratoire de Souleiado.

Régine Deméry à l'œuvre dans un des ateliers de conception de Souleiado.

Ci-dessus : dans les greniers de Souleiado reposent 40 000 planches qui furent gravées à la main au XVIIIe et au XIXe siècle.

Imprimés provençaux modernes conçus par Souleiado à partir d'éléments anciens. Tous les prototypes sont exécutés à la main sur cellophane.

« Souleiado », ce qui signifie en provençal « rayons de soleil perçant les nuages après la pluie ». La fin des années trente et les années de guerre sont seulement marquées par le passage aux colorants de synthèse palliant l'absence de teintures végétales devenues introuvables. L'après-guerre voit le début de la croissance constante de Souleiado qui, pour la première fois, imprime du coton au mètre et produit également de petits articles de mode (sacs à main, jupes et quelques robes). La demande augmentant, il devient bientôt impossible de continuer à imprimer les

Des imprimés ocre, en dominante ou par touches, rehaussent cette loggia du Paradou où se juxtaposent des styles aussi différents que le Louis XIII, l'italien moderne et l'osier.

Dans l'élégante résidence de Madeleine Ferragut et Nicole Barra au Paradou, les imprimés provençaux modernes contribuent à exalter l'espace extérieur. Dans le patio (photo du haut), l'œil est immédiatement attiré par les gros coussins Souleiado. Des imprimés de teintes rose, feuille morte et lavande habillent les fauteuils et coussins de la terrasse, au bord de la piscine, ainsi que l'intérieur du vaste parasol.

Ci-dessus : dans la cuisine du Domaine Tempier, propriété vinicole mondialement connue des environs de Bandol, un galon imprimé souligne une étagère au-dessus de l'évier.

A gauche : cette cheminée est également agrémentée d'un bandeau imprimé, servant en outre à rabattre la fumée.

étoffes à la main. A partir des années cinquante, Souleiado effectue graduellement sa conversion vers l'impression industrielle à partir de rouleaux de cuivre gravés. Par souci d'authenticité, les dessins sont intégralement reportés sur les plaques de cuivre, y compris les éventuels défauts — rayures ou fêlures — des planches d'impression.

Souleiado offre aujourd'hui des centaines de combinaisons de motifs et de teintes différentes. Nombre d'entre elles reprennent les vives couleurs traditionnelles de Provence, d'autres sont d'inspiration plus moderne, nuances plus complexes de vert mousse, greige, rose cendré et abricot, dites « couleurs mode » par leurs concepteurs. Tous les nouveaux décors créés dans l'un des deux bureaux d'études de la compagnie s'inspirent directement des planches originales. Le dessin final est en général une composition reprenant par exemple le fond moucheté de l'une, le trait d'un motif floral d'une autre, et le feston en forme de coquille d'une troisième.

La société Souleiado ne produit que des tissus imprimés en fibre naturelle et est fermement déterminée à persévérer dans cette voie. « Nous n'imprimerons jamais sur du synthétique », affirmait Charles, « nous sommes cotonniers depuis deux cents ans, et cela nous confère le rang d'artisans et de spécialistes. La plupart des petits imprimeurs sur tissu ont mis la clé sous la porte il y a plus de cent ans, et ceux qui restent aujourd'hui se comptent sur les doigts de la main. Perpétuer l'impression sur fibre naturelle signifie donc préserver notre héritage artisanal. Par ailleurs, les impressions sur tissu synthétique ne sont jamais aussi jolies. »

Les imprimés provençaux actuels remportent un franc succès en raison de leur pouvoir d'adaptation. Il va sans dire qu'ils s'harmonisent avant tout entre eux, en éclatants rappels de couleurs et de motifs. En effet, si l'on s'en tient à la tradition, ils sont conçus pour s'apparier : en dominante, une pièce de tissu d'un dessin plutôt classique avec, en rappel, un galon imprimé d'un motif floral, de 5 à 15 centimètres de large. Mais ils s'intègrent également à une multitude d'autres décors. Ils compléteront par exemple, et tout aussi heureusement, un salon très moderne à tendance neutre ou un boudoir romantique aux tons pastel. Cependant, peut-être à cause de leur origine, c'est avec les décors orientaux qu'ils se marient le mieux tout en conservant leur caractère. Quelle qu'en soit l'utilisation, les imprimés provençaux contribuent à créer une atmosphère chaleureuse typiquement méridionale.

Dans le foyer du Domaine Tempier, la Provence et l'Inde se font écho : un étroit galon à motif floral encadre la porte en contrepoint à une tenture ornant le mur.

LA POTERIE

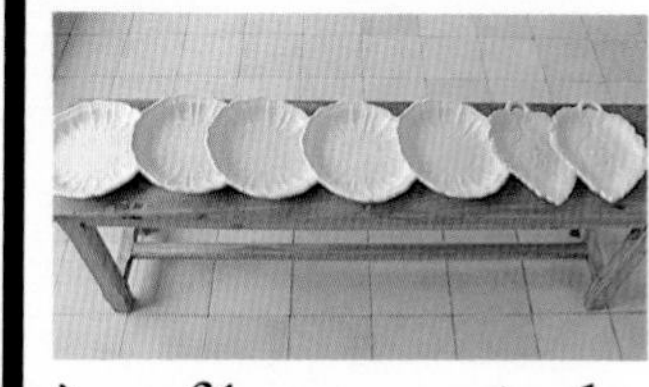

La faïence (terre cuite émaillée) est une production locale dans nombre de petites villes de la région, où l'argile abonde. Les pièces, des tasses à café aux grandes urnes gracieuses destinées à recevoir des plantes, ont, dans l'ensemble, des lignes fluides et classiques. Les faïences traditionnelles sont jaune moutarde, vert émeraude ou blanc opaque et ornées de décors polychromes. Les faïenceries sont innombrables en Provence, des montagnes jusqu'au littoral, mais certaines, à Moustiers et Apt par exemple, surpassent toutes les autres

Une des créations contemporaines de Moustiers fabriquée par l'Atelier de Ségriès selon les techniques du XVIIIe siècle. Ce plat est orné d'une scène marine inspirée des dessins du célèbre faïencier Joseph Olerys (fin XVIIIe). A l'arrière-plan, les toits de Moustiers par une journée d'été.

par la qualité et l'originalité de leurs créations.

Moustiers, l'un des sites historiques les plus importants de Provence, est un vieux village des Basses-Alpes, accroché à flanc de montagne. Village de potiers depuis le XVIe siècle, ce n'est qu'au XVIIe que la faïence y acquiert ses lettres de noblesse, et plus exactement en 1679, lors de la création de la première fabrique par Pierre Clérissy, descendant d'une famille provençale de vieille souche qui pratique cet art depuis le Moyen Âge. Les ateliers s'y multiplient alors très rapidement.

La poterie des XVIe et XVIIe siècles est traditionnellement bleu et blanc, mais le XVIIIe introduit l'usage d'une riche gamme chromatique. Moustiers, qui est resté un des hauts lieux de la faïence en France, compte aujourd'hui un grand nombre d'ateliers fidèles aux traditions techniques et artistiques de cet art. Toutes les pièces, en argile rouge d'Apt ou de Roussillon, sont entièrement fabriquées à la main, c'est-à-dire tournées ou moulées, puis émaillées de blanc et enfin décorées. L'argile rouge émaillée de blanc donne précisément

Ce cache-pot, rempli de masques de carnaval en papier mâché (début du XIXe), fait partie de la collection de faïences de Moustiers du XVIIIe siècle réunie au Château de Barbentane près d'Avignon.

Faïences modernes de Moustiers : cet original bougeoir et ces assiettes ornent à merveille une table de campagne. Les melons sont, faut-il le préciser, de Cavaillon.

Faïence d'Aubagne : cette fontaine d'un jaune éclatant tranche sur le vert olive du mur. Des ateliers de céramique, et surtout de nombreux santonniers, perpétuent l'art traditionnel de cette localité.

Création d'un pichet à l'Atelier de Ségriès (Moustiers) : plusieurs stades et manipulations séparent l'argile de la pièce de faïence achevée. Ainsi le potier utilisera ces bûches d'argile rouge de Roussillon. Il commence par humidifier l'argile, puis il la moule en forme de pot.

Un tour de potier et quelques outils rudimentaires suffisent à l'artisan pour tourner un objet en quelques minutes — ici un pichet.

De gauche à droite : soigneusement lissé à l'éponge, le pichet est cuit une première fois au four, puis mis à refroidir avant l'émaillage (ci-dessous).

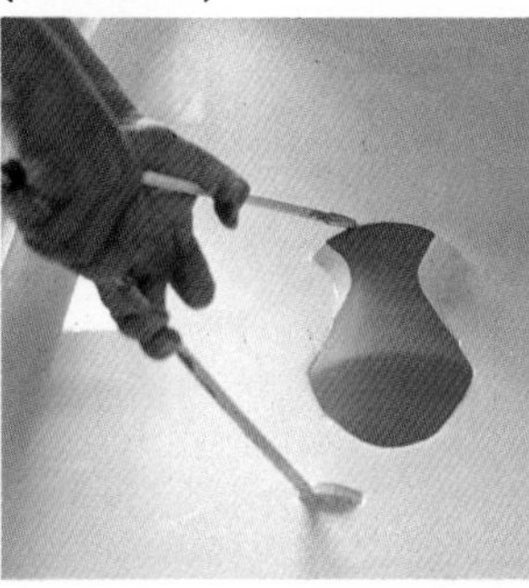

son éclat particulier à la faïence de Moustiers. Les motifs les plus populaires sont, depuis toujours, les grotesques, lointains cousins des gargouilles de Notre-Dame, les scènes de chasse, pastorales ou mythologiques, puis à partir de 1789, les symboles et mots d'ordre révolutionnaires.

Dans la ville d'Apt, où la faïence était reine aux XVIIIe et XIXe siècles, un seul atelier notable perpétue encore aujourd'hui la tradition. Au début du XXe siècle, le grand-père de Jean Faucon crée l'Atelier Bernard, où il redonne vie à une technique du XVIIIe siècle : les faïences marbrées (fabriquées avec des argiles de couleur différente et recouvertes d'un émail transparent). Au premier abord, c'est l'émail qui semble marbré, mais une observation plus attentive révèle les motifs imbriqués et dessinés par l'argile elle-même. Cette technique exige beaucoup de temps. En conséquence, Jean, qui travaille seul ou assisté d'une seule personne, ne réalise qu'un petit nombre de créations extrêmement recherchées.

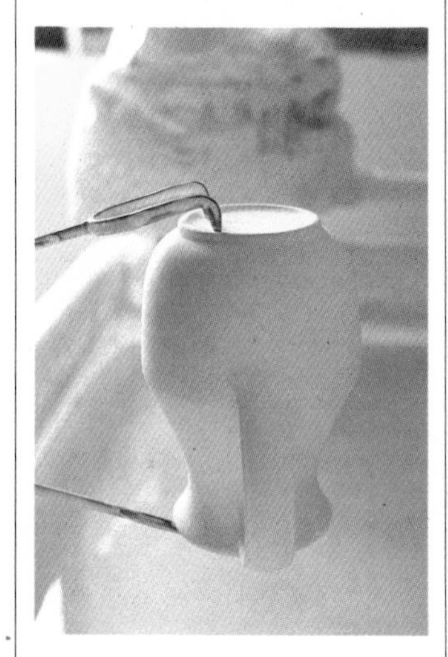

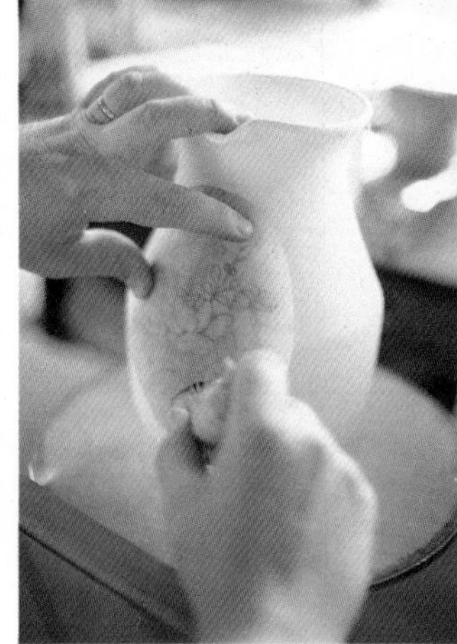

Ci-dessus à gauche, le potier trempe le pichet dans un bain d'émail blanc à l'aide de grandes pinces de métal. Le pichet passe ensuite entre les mains du dessinateur qui, fusain et stencil perforé à l'appui, y dépose les contours d'un dessin traditionnel, qu'il décorera ensuite avec des émaux colorés (ci-contre).

Un artiste, à gauche, exécute au pinceau le décor de ce pichet. Ce travail est particulièrement délicat. En effet, le moindre faux mouvement peut signifier la mise au rebut d'une pièce presque achevée.

Le pichet subit une dernière cuisson dans un four à très haute température.

Après refroidissement, le pichet est soit stocké, soit empaqueté afin de satisfaire l'une des commandes qui arrivent ici du monde entier.

Les assiettes émaillées de jaune présentées à gauche caractérisent, entre autres, les créations d'Apt. Les bords festonnés et les formes en feuille ont été modelés à la main par Jean Faucon.

Le pot à eau et la cuvette ci-dessus, en argile brune marbrée, sont rehaussés d'un décor de vigne.

Jean Faucon crée, grâce à sa technique des argiles marbrées, des faïences uniques au monde. Les pièces, à l'instar des assiette, pichet à couvercle, sucrier et plat bleu et blanc ci-contre, sont recouvertes d'un émail transparent. Le décor obtenu par le mélange de terres est dans la « masse », selon la tradition des faïences d'Apt et du Castellet.

Ce plat brisé, à droite, montre en coupe les marbrures de l'argile.

Exposition de faïences marbrées fabriquées par Jean Faucon. Le buffet provençal date du XVIIIe siècle.

Un heureux effet de contraste est obtenu par l'opposition du bleu de la coupe avec le blanc de son socle.

Trois ustensiles de cuisine du XVIIIe siècle provenant d'Apt. Ces pièces rares appartiennent à la collaction solognote de Sylvia Etendard. La richesse et la chaleur des jaunes, ocre et bruns n'ont rien à envier aux créations contemporaines.

Ces couvercles fabriqués au début des années 1900 illustrent la maîtrise et l'art de Bernard Joseph, grand-père de Jean Faucon.

Nature morte dans le clair atelier de Jean Faucon : savon de Marseille, brosse dure et évier de pierre.

Après avoir mélangé les argiles (selon une technique qui doit rester secrète), Jean modèle un plat sur un moule traditionnel, puis le met à sécher au soleil.

Jean travaille souvent seul et crée uniquement quelques pièces par jour.

Une fois l'argile bien pressée contre le moule, Jean adjoint la base, qui ressemble à un fin serpent d'argile.

Lorsque le moulage est achevé, le motif marbré apparaît au lissage avec une éponge humide.

Le plat est alors exposé au soleil afin de sécher avant la cuisson.

LE MOBILIER

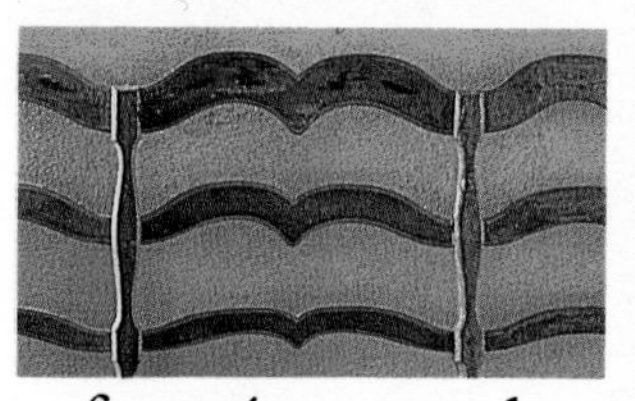

Le mobilier provençal est, entre tous, celui qui a su le mieux allier l'utile à l'agréable. Les formes déliées, les courbes, les motifs floraux délicatement sculptés, les fers forgés et les bois patinés sont autant d'éléments caractérisant les buffets, armoires, chaises, tables et autres petits meubles usuels (boîtes à farine et à sel, panetières...). L'artisan provençal saisissant la moindre occasion d'exprimer son art et son talent, tous ces objets, jusqu'aux plus utilitaires, sont décorés de grappes de raisin, d'épis de blé, de rubans, de

fleurs, de cœurs, de poissons ou d'oiseaux. On retrouve dans le mobilier l'exubérance propre au style provençal en général. Le goût de l'artisan pour le mouvement transparaît dans tous les meubles, volumineux ou non, aux lignes ondulées, aux courbes sinueuses et aux angles arrondis. Un autre aspect original du mobilier provençal réside dans le jeu de l'ombre et de la lumière. Dans une région où le soleil tient tant de place, les artisans ne pouvaient manquer de chercher à recréer le clair-obscur naturel, d'où l'opposition des lignes droites et des courbes, des sculptures et des surfaces lisses comme des miroirs, destinée à faire jouer les rayons de lumière.

La Provence, en avance sur d'autres provinces de France, possède très tôt un mobilier évolué et original. Dès le XIIIe siècle y apparaissent des meubles, inconnus ailleurs, comme la panetière, la farinière, le buffet à glissants et le garde-manger. La décoration est, à cette époque, réduite au minimum : une simple étoile ou une feuille de trèfle sculptées sur les portes et

Dans une petite maison de Tarascon, cette panetière du XIXe siècle a été suspendue au-dessus d'un très simple buffet du XVIIIe en style de Fourques.

Le mobilier provençal est tout autant l'œuvre de simples menuisiers que de grands artisans. L'armoire en mélèze peint qui apparaît ci-dessous et sur la photo de la page précédente, a été fabriquée à la fin du XVIIIe siècle en Haute-Provence. Elle a été conçue pour ranger à la fois des vêtements et du grain.

les tiroirs. Au XVe siècle, sous le règne du bienveillant roi René, les arts locaux prennent leur essor et tout particulièrement l'ébénisterie. Les menuisiers perfectionnent leur savoir-faire et l'ornementation gagne en complexité. Au XVIIe siècle, des écoles de style font leur apparition dans la région, notamment à Avignon et à Toulon, où des charpentiers et des sculpteurs travaillent pour les officiers de l'arsenal. Le XVIIIe siècle est celui de l'engouement des artisans provençaux pour le style Louis XV, dont ils aiment les lignes généreuses et sensuelles, le romantisme effréné. C'est sous le règne de Louis XV que le mobilier provençal dégage les lignes et les formes qui le définissent aujourd'hui.
Le XVIIIe siècle correspond à une période faste de l'économie française. L'artisanat fleurit alors un peu partout en France, et notamment en Provence, l'ornementation. Le XIXe siècle finissant est celui de l'outrance et de la surcharge. Les meubles perdent

Ce détail du motif floral sculpté sur le pétrin montre sa gracieuse simplicité et la dextérité des artisans provençaux du XVIIIe.

Panetière de la fin du XVIIIe à motifs traditionnels (vase et corbeille de fleurs) et pétrin, en pur style fleuri, fabriqué en Arles au milieu du même siècle.

leur élégance et leur harmonie. En outre, l'avènement de la production de série, née dans le Nord, hâte le déclin de la production artisanale.

Alors que l'artisanat provençal est à son apogée, au XVIIIe siècle, les plus beaux meubles sont fabriqués sur les rives du Rhône (dans le département des Bouches-du-Rhône). La terre y est riche et fertile, et les habitants prospèrent également grâce au commerce fluvial. Les Arlésiens, Beaucairois et Tarasconnais sont assez fortunés pour s'offrir des meubles de luxe. Les Bouches-du-Rhône deviennent donc inévitablement un haut lieu de l'artisanat, dont les fleurons sont les styles d'Arles et de Fourques. Ceux-ci diffèrent plus par l'ornementation que par la forme ou les lignes. Le style d'Arles, qui porte également le nom de « style fleuri », est très élaboré, très travaillé et se distingue par ses sculptures ondulées et l'abondance des motifs floraux. Il favorise les délicates sculptures en relief, guirlandes de roses, bouquets de fleurs et autres

La pièce maîtresse de cette salle de séjour du Mas de Curebourg (Isle-sur-la-Sorgue) est une armoire de Fourques rarissime avec horloge encastrée. De chaque côté, deux portraits d'Arlésiennes en costume traditionnel du XIXe. A gauche, une petite table de nuit en noyer du XIXe. A droite, également fabriqué au XIXe siècle, cet humble buffet en noyer noirci par des années de poussière et de fumée est devenu une pièce recherchée par les amateurs.

rameaux d'olivier. Le style de Fourques, du nom de la petite bourgade située à quelques kilomètres d'Arles, est un exemple de sobriété. Peu ou pas de motifs, les moulures constituent l'essentiel du décor. L'effet en est plus vigoureux, plus architectural, plus rustique peut-être que celui de la manière d'Arles.

D'autres villes, telles que Beaucaire, Tarascon, Avignon, Saint-Rémy et Aix-en-Provence, sont également des centres de création très importants de meubles de luxe somptueux destinés à satisfaire une clientèle raffinée. En Haute-Provence, dont le paysage austère et montagneux sert de refuge aux protestants, le style est plus retenu, les lignes plus rigides. Les meubles y sont plus simples, plus rustiques, plus massifs parfois que ceux de Basse-Provence. Dans le Comtat Venaissin et les Cévennes, le style Louis XIII aux lignes sobres et géométriques maintiendra son influence aux dépens du Louis XV, plus fluide.

Ci-dessus, détail d'une armoire fabriquée en Arles au XVIIIe siècle. Son cintrage est délicatement sculpté de motifs d'inspiration musicale (partition, lyre, cor de chasse…).

A droite, cette chaise en noyer du XVIIIe (d'inspiration Louis XV), unité d'une paire de grande valeur, a été garnie d'une tapisserie du XIXe. Particulièrement remarquable, la subtile différence dans la sculpture des traverses du dossier, qui, de prime abord, semblent identiques.

Petit meuble mural en mélèze originaire du nord-est de la Provence (début du XIXe siècle). Aujourd'hui dans une cuisine à Moustiers, il est mis en valeur par des plantes aromatiques et des fleurs séchées.

Dans le salon du Château de Barbentane, au sud-ouest d'Avignon, on trouve cette précieuse commode en vernis Martin d'époque Louis XV classée. Les meubles de ce genre ont été créés à la manière des meubles laqués d'Extrême-Orient qui arrivaient sur le port de Marseille. Les motifs floraux dans le style d'Arles sont appliqués à la feuille d'or. Sur la commode, portrait d'un des marquis de Barbentane (fin XVIIIe siècle).

L'ornementation des meubles provençaux abonde en motifs, symboles et attributs décoratifs. Élément d'une dot, le meuble est orné de cœurs accolés, d'un couple de colombes se becquetant, de rameaux de myrte, de fleurs d'églantier (symboles de l'amour conjugal), de gerbes de blé (prospérité) et de feuilles de vigne (longévité). Les rameaux d'amandier, marguerites, bouquets de fleurs du pays, grappes de raisin, pommes de pin, instruments aratoires, carafes et poissons sont également des motifs traditionnels. Le style Louis XVI introduit de nouveaux emblèmes : instruments de musique, soupières, épis de blé, vases. En Haute-Provence, les lignes géométriques dominent ainsi que les décors en « pointes de diamant ».

Les ferrures sont un autre élément caractéristique du décor : véritables dentelles de fer forgé, elles ornent les portes des armoires et des buffets, les tiroirs et les étagères. Symétriques, elles sont en général disposées bout à bout, par deux ou par trois, sur toute la hauteur

Le lit à baldaquin était très en vogue au milieu du XIXe chez les familles provençales fortunées.

de la porte ou du tiroir. Extrêmement fines, elles donnent à la fois une impression de solidité et de délicatesse, et la lumière s'y reflète avec d'heureux effets décoratifs.

Le meuble provençal, cependant, ne serait rien sans la qualité du bois dont il est fait. Les plus belles pièces doivent leur luisante patine couleur de miel au bois de noyer, essence autrefois très répandue en Provence, mais plus rare aujourd'hui. Bois robuste se travaillant facilement, le noyer acquiert avec le temps sa belle couleur dorée. Les noyers étaient si estimés aux XVIIIe et XIXe siècles, qu'ils étaient souvent offerts en cadeau de mariage. Dans les campagnes, l'abattage d'un vénérable noyer tenait de l'événement et faisait parfois l'objet d'une cérémonie en grande assemblée un soir de pleine lune. Le bois d'olivier est également utilisé (aux XVIe et XVIIe siècles surtout), ainsi que le poirier, teinté pour imiter l'ébène, l'osier pour les chaises, le cerisier, le châtaignier et le mûrier, entrant seuls ou combinés dans la fabrication d'un même meuble.

Commode arlésienne du XVIIIe siècle, transition régence/Louis XV, caractérisée par son décor rococo.

Au XVIIIe ou XIXe siècle, aucune famille cossue d'Aix ou d'Arles n'aurait pu se passer sans déchoir de certaines pièces de mobilier traditionnel. Trois d'entre elles ont un rapport direct avec la panification.

La panetière est un petit meuble typiquement provençal destiné à recevoir le pain frais. Sa structure de fuseaux finement ouvrés assure une bonne ventilation. Une petite porte délicatement sculptée s'ouvre sur la face avant. Bien que pourvue de pieds minuscules pour être posée sur un buffet ou une crédence, la panetière trouve vite sa vraie place. Suspendue au mur de la cuisine, elle libère l'espace et met le pain hors de la portée des rongeurs. Le sommet de la panetière est orné de chandelles ou bobèches, petites sculptures en forme de panache surmonté d'un gland ou d'une olive, posées à intervalles réguliers. L'artisan provençal aimant à montrer la virtuosité dont il est capable sur une surface relativement restreinte, il n'est pas rare que la panetière devienne l'ornement principal de la cuisine.

Buffet à glissants du milieu du XVIIIe siècle dans le style de Fourques. Ce remarquable spécimen, digne d'un musée est sculpté de feuilles d'acanthe, de rameaux d'olivier et de marguerites. Les pieds sont ouvrés « en colimaçon » ; sur le gradin en retrait, deux pique-fleurs du XVIIIe d'origine marseillaise.

Dans cette chambre d'une maison près de l'Isle-sur-la-Sorgue on découvre un lit en hêtre peint, orné de guirlandes de laurier et de grenades (création aixoise de 1890). Le jeté de lit est un boutis du XIXe. A droite, une élégante petite table à écrire Louis XV en noyer.

Cette armoire, avec sa corniche en « chapeau de gendarme », date du début du XIXe siècle. Les ferrures des portes, en contrepoint aux panneaux sculptés, caractérisent les armoires typiquement provençales, en particulier celles des Bouches-du-Rhône comme celle-ci.

Le pétrin, qui est traditionnellement placé sous la panetière, est un meuble massif servant à pétrir la pâte à pain. C'est, en général, un coffre de forme trapézoïdale doté d'un couvercle à charnières et monté soit sur quatre pieds sculptés reliés par une traverse, soit, en version plus simple, sur une table à deux tiroirs. On y pétrit et laisse lever le pain, et de temps à autre, on y sale le porc. Très utilitaire, le pétrin est beaucoup moins décoré que les autres meubles — parfois une simple sculpture sur les côtés — voire pas du tout.

Le tamisadou fait également partie du mobilier de la cuisine. Ce meuble à deux portes, unique en son genre, a été inventé par les artisans provençaux pour bluter la farine. Il recèle un moulin à bluter, permettant de séparer la farine du son, que l'on actionne grâce à une manivelle située sur le côté extérieur droit du meuble. Seules quelques moulures chantournées décorent le tamisadou. Aujourd'hui, il est très rare de trouver un tamisadou complet. La plupart n'ont plus de blutoir et font office de buffet.

Outre la panetière, le pétrin et le tamisadou, la cuisine provençale traditionnelle est équipée de plusieurs autres meubles régionaux. Le garde-manger, par exemple, haut et étroit, sert à conserver les aliments. Sa partie supérieure est aérée d'une rangée de fuseaux pour la ventilation. Il est décoré de motifs floraux en relief, de ferrures et de charnières en fer forgé et possède souvent un tiroir. Accrochées aux murs de la cuisine, en général de chaque côté du foyer, la salière et la farinière forment un ensemble aussi décoratif que fonctionnel. La salière est fermée par un couvercle incliné, et pourvue d'un petit tiroir pour le poivre (ou une autre épice). Sa facade est souvent sculptée d'un écusson ou d'un motif floral. La farinière est, quant à elle, traditionnellement ornée de poissons ou d'épis de blé. En effet, elle servait à fariner le poisson. Pour ce faire, il fallait la décrocher du mur, la poser à plat sur la table et ôter le couvercle coulissant : on pouvait alors fariner le poisson à l'intérieur de la boîte.

Une multitude de petits meubles à étagères décorent également les murs de la cuisine ou de la salle à manger : vaisselier, verrier, estagnié et coutelière servent respectivement à ranger (et à exposer !) les assiettes et les plats, les verres, les étains et les couteaux. Petits meubles fonctionnels, ils sont dotés de traverses afin de retenir les objets exposés. Quand

Litoche traditionnelle du XIXe siècle, avec sa tête sculptée et ses montants plus bas au pied. Le boutis imprimé à la main est également du XIXe siècle.

ils ont un fond, celui-ci est souvent recouvert de tissu afin de mettre les objets en valeur. Sans fond, l'effet produit est plus délicat, plus léger, c'est le cas notamment pour les verriers. Le piètement de certains prouve qu'ils peuvent être posés sur un buffet. D'autres enfin prennent l'apparence d'armoires miniatures, avec porte vitrée et garnitures en fer forgé.

L'armoire reste, de tous les meubles provençaux, le plus beau et le plus travaillé. Ce grand meuble de rangement aux sculptures intriquées, haut parfois de 3 mètres, est souvent un cadeau de mariage ou un bien dotal. Ces pièces volumineuses, à la silhouette fluide et galbée, ont permis aux artisans provençaux de laisser libre cours à leur imagination et à leur talent. L'armoire traditionnelle en noyer clair comporte deux ou trois panneaux galbés par porte, des traverses somptueusement sculptées et des garnitures en fer forgé, qui courent sur toute la hauteur des portes. Le piètement est soit en « corne de bélier », soit en « pied de biche ». La corniche, surtout en Basse-Provence, est galbée en « chapeau de gendarme ». L'ornementation est riche en motifs symboliques sculptés en haut-relief ou ajourés : tourterelles, cœurs, torches, guirlandes de fleurs, épis de blé, grappes de raisin.

Aussi somptueuses et élégantes soient-elles, il serait erroné de penser qu'elles sont uniquement destinées aux grandes et confortables demeures. Nombre d'entre elles trouvent leur place dans d'humbles logis, dont elles représentent le seul bien véritable, et sont transmises de génération en génération. Les armoires les plus recherchées à l'heure actuelle ont été fabriquées à Arles, Beaucaire et Saint-Rémy. Les armoires de Haute-Provence sont plus simples d'aspect : corniche droite, ferrures plus étroites et lignes moins galbées. Certaines sont ornées de pointes de diamant, réminiscence du style Louis XIII. Les ménagères provençales ont coutume de recouvrir les étagères et le fond des armoires d'indiennes éclatantes, dernière touche conférant à l'intérieur une parure digne de l'extérieur.

Un meuble souvent créé pour des familles aristocrates ou de la haute bourgeoisie, le buffet à « glissants », meuble de rangement à deux étages, est une autre pièce d'ébénisterie typiquement provençale. Originaire de Haute-Provence, puis affiné par les artisans arlésiens, ce buffet présente une base traditionnelle (deux portes sculptées, agrémentées de fines ferrures et surmontées

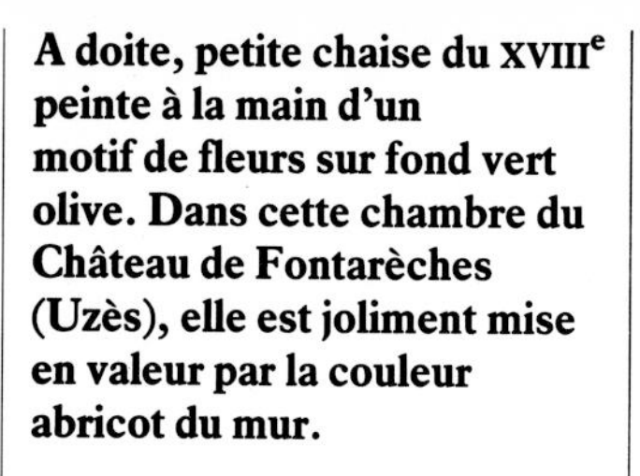

A doite, petite chaise du XVIIIe peinte à la main d'un motif de fleurs sur fond vert olive. Dans cette chambre du Château de Fontarèches (Uzès), elle est joliment mise en valeur par la couleur abricot du mur.

A gauche, ce bureau aux proportions majestueuses est une pièce unique fabriquée en Arles au milieu du XVIIIe siècle. Le plateau mobile légèrement incliné semble le destiner à une personne ayant besoin d'une grande surface de travail (avocat ou architecte). Il faut noter que les portes ne sont pas assorties et ouvrent toutes deux vers la droite : nul n'en connaît la raison.

Ci-dessous, encoignure du début du XIXe sous une fenêtre cintrée dans une maison des environs de Tarascon.

d'un tiroir), et un étage original, appelé « gradin ». Cette partie supérieure, indépendante, est pourvue de deux panneaux coulissants — les « glissants » — séparés parfois par une petite porte galbée appelée « tabernacle ». Ce système d'ouverture à glissières permet de ranger la vaisselle sans avoir à déplacer continuellement les vases ou les soupières exposés sur le buffet.

Dans une autre gamme, le buffet à deux corps atteint des dimensions compatibles avec les plus vastes demeures. Sa partie supérieure, légèrement en retrait, est souvent deux fois plus élevée que le bas. Particulièrement courants en Haute-Provence, ces meubles ont une ornementation plus sobre que celle des buffets à glissants. Certains sont pourvus de deux petits tiroirs au-dessus des portes du bas et coiffés d'une corniche en « chapeau de gendarme ». La crédence, quant à elle, se distingue par ses deux portes cintrées et son plateau de marbre. Les portes sont en général composées de panneaux travaillés en creux et soulignés par des moulures. Dans certaines maisons provençales, il n'est pas rare de trouver un *buffet mural,* c'est-à-dire fixé dans l'épaisseur du mur. Tout petit, il n'occupe qu'un coin de pièce, mais il peut aussi prendre toute la surface du mur : c'est l'ancêtre du placard encastré.

Au mas de Curebourg, ce canapé provençal (1845 environ), récemment recouvert, révèle les lignes fluides du style Louis-Philippe en vogue à Paris à cette époque. Les deux tableaux au dessus du canapé sont de Vernet ; l'assiette, de Sicard, est en barbotine d'Aubagne (1900).

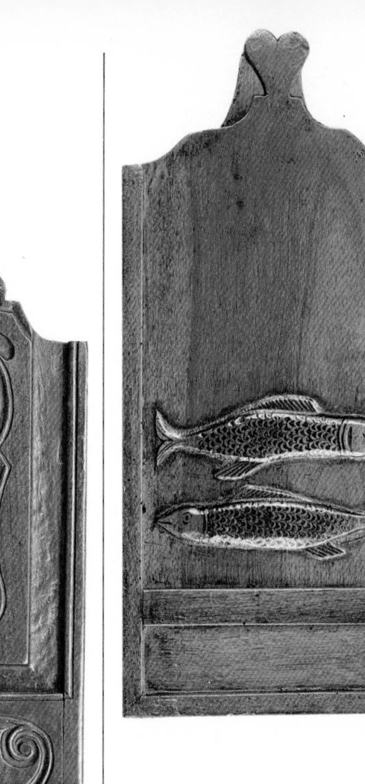

L'« encoignure » est un meuble provençal d'inspiration Louis XV particulièrement pratique. Servant d'armoire ou d'étagère, il est conçu pour occuper l'angle d'une pièce. Sa façade est droite ou galbée et ses deux côtés forment un coin. L'ornementation est en règle générale réduite à de petites garnitures métalliques, des moulures profondes et des sculptures ajourées.

Les commodes, meubles de luxe au XVIIIe siècle, ont été créées pour les salons ou les chambres des familles aisées. Il en est de deux types : à deux tiroirs sur pieds hauts et galbés, ou à trois tiroirs sur pieds plus courts, dits « pieds de biche ». La façade est souvent bombée en un jeu de courbes convexes et concaves, et le foisonnement des sculptures produit parfois un effet tourmenté. Les garnitures métalliques sont en cuivre, en bronze ou en fer poli. Les commodes laquées, rouge foncé ou vert foncé, ont été à la mode vers la fin du XVIIIe siècle. Il est cependant très rare aujourd'hui d'en trouver un exemplaire authentique.

Ci-dessus, ces quatre farinières illustrent la variété des motifs ornementaux. Il faut savoir toutefois que les poissons et les épis de blé sont les décors les plus courants de ces accessoires de cuisine traditionnels.

A gauche : cette commode unique en son genre en noyer à la belle patine a été fabriquée sur mesure pour une bastide provençale. Les trois tiroirs concaves sont pourvus de poignées de cuivre prises dans un complexe motif de bouquet.

Photo de droite : à mi-chemin entre le buffet mural et le réduit, ce « meuble » rarissime appelé « niche à toit » est le pendant de celui que l'on aperçoit dans le miroir. Tous deux se trouvent dans la salle à manger du Château de Barbentane (XVIIIe siècle). Reliées par un passage dérobé, ces constructions servent de rangement, de garde-robe ou de cabinet de toilette dans les chambres.

Le lit provençal, appelé litoche, est d'une facture très simple : la tête du lit est cintrée et légèrement festonnée, et les montants sont quasiment dépourvus de décorations. Le lit conçu par les artisans arlésiens est cependant un peu plus élaboré, puisque la tête et le pied en sont sculptés. Au milieu du XIXe siècle apparaît dans certaines maisons très aisées un lit dit « à l'impériale », surmonté d'un baldaquin retenant des rideaux de soie. Mais d'une manière générale, les chambres provençales restent très dépouillées.

Radassié traditionnel du XVIIIe faisant face à la large cheminée d'une maison du XVIe siècle à Ménerbes.

Les artisans provençaux ont su créer toutes sortes de sièges répondant aux besoins des différentes pièces de la maison. Mais la plupart sont plutôt rustiques et simples comparés aux armoires et aux buffets. L'un d'entre eux cependant, le radassié, offre une certaine singularité. Cette banquette paillée à deux, trois ou quatre places, placée traditionnellement à côté de la cheminée, est conçue pour la détente et la conversation. Le radassié est construit comme la somme de trois ou quatre fauteuils, muni d'un accoudoir à chaque extrémité et d'un dossier à traverses légèrement concaves. Il est parfois peint de petites fleurs sur fond vert olive, gris ou bleu-gris et agrémenté de coussins habillés d'indienne.

Les fauteuils paillés sont de conception identique à celle des canapés. Ils sont amples, tels les fauteuils bonne femme destinés aux grands-mères, ou à dossier

Sobre buffet fabriqué en Haute-Provence au début du XIXe siècle. Il sert aujourd'hui de présentoir pour une collection d'étains anciens à Gordes.

Ce vaisselier rustique du XVIIIe est une étagère servant à faire sécher et à ranger les verres.

très haut et assise basse pour les « chaises de nourrices ». L'assise est tressée en paille naturelle ou teintée, un habile mélange des deux faisant apparaître des motifs simples. Sous l'influence du style Louis XVI, les dossiers à traverses pleines prennent des formes plus complexes (lyre ou gerbe de blé). Les bois utilisés sont le traditionnel noyer, mais aussi le hêtre, le tilleul, le mûrier et l'osier.

La plupart des tables provençales sont solides, rustiques, et n'offrent aucun signe particulier. Essentiellement fonctionnelles, elles sont rectangulaires et longues, éventuellement pourvues d'un tiroir à chaque extrémité. Elles sont, de toute évidence, conçues pour donner place généreusement à un grand nombre de commensaux plus que pour flatter l'œil (à Paris, d'ailleurs, il faut attendre le règne de Louis XVI pour trouver des tables de style). En revanche, les artisans provençaux ont été beaucoup plus inspirés par les petites tables moins utilitaires : tables de jeu, d'ouvrage et de nuit, tables à écrire, dessertes… En général dressées sur des pieds de bonne longueur et très galbés, elles sont peu ornées, mais leurs lignes, inspirées du Louis XV, sont déliées et élégantes. Les consoles sont un peu plus décorées, qui ont un plateau de marbre, un ou deux tiroirs et une traverse délicatement ouvragée reliant les pieds.

Fauteuil bonne femme fabriqué en Arles au début du XVIIIe siècle. Il orne aujourd'hui la réception du Château de Barbentane. Assise en paille tressée et traverses délicatement ouvragées, il n'a rien perdu de sa splendeur.

L'étagère ci-dessus, reprenant les lignes d'une armoire avec corniche en « chapeau de gendarme », est d'origine arlésienne (fin du XVIIIe). Elle est décorée de guirlandes, de fleurs et d'une colombe.

Ci-dessous : ce buffet rustique du XVIIIe siècle est d'une ornementation particulièrement sobre : les ferrures sont petites et seule la traverse inférieure est sculptée d'un motif.

La commode ci-dessus, aux sculptures foisonnantes et au ventre légèrement bombé, présente tous les traits caractéristiques des meubles délicats fabriqués à Nîmes dans la deuxième moitié du XVIIIe siècle.

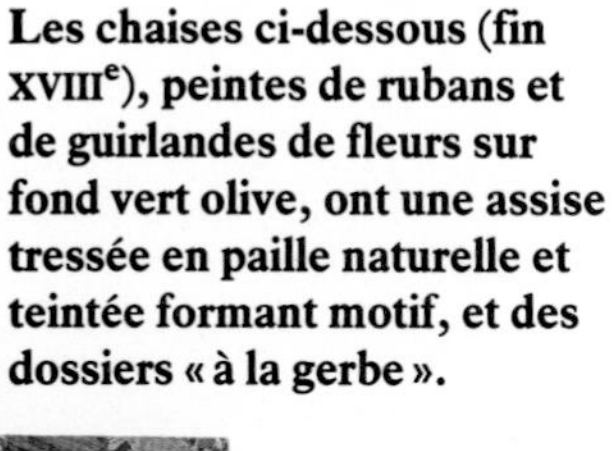

Les chaises ci-dessous (fin XVIIIe), peintes de rubans et de guirlandes de fleurs sur fond vert olive, ont une assise tressée en paille naturelle et teintée formant motif, et des dossiers « à la gerbe ».

Ornée de fleurs et d'un motif géométrique doré, ce radassié aux lignes fines et généreuses, est un exemple classique des meubles peints fabriqués dans les Bouches-du-Rhône et à Uzès au XVIIIe siècle.

Radassié dans le hall du Château de Barbentane : bois peint à décor d'oiseaux et de branchages stylisés.

La table de cuisine du Château de Fontarèches (Uzès) illustre la sobriété des tables provençales. Les chaises paillées du XVIIIe, peintes en vert souligné d'or, s'accordent avec l'ensemble du décor, plus stylisé, tout en restant en harmonie avec la simplicité de la table.

Table à abattants, faisant partie d'une paire (fin XVIIIe), dont l'originalité est d'être à entrecroisé vertical, sert aujourd'hui de présentoir à étains.

ÉLÉMENTS DU STYLE

L'élégance des lignes et la noblesse du style provençal caractérisent non seulement le mobilier, mais aussi l'architecture, la décoration et l'artisanat. La Provence des XVIIIe et XIXe siècles n'a été dominée par aucun mouvement artistique ou école esthétique, et pourtant, les traits caractéristiques fortuits des arts de cette province possèdent l'harmonie, la grâce et la cohérence d'un style structuré. Les œuvres des artistes, architectes et artisans provençaux ont été créées en fonction des besoins, des souhaits et de la mentalité d'un peuple dans un environnement bien précis. L'objet du présent chapitre est ainsi de présenter, à la manière d'un kaléidoscope, les éléments essentiels et les traits caractéristiques du style provençal. Portes, fenêtres, toits, plafonds, dallages, cheminées, escaliers, fontaines, sculptures, objets et santons en sont les composants qui, tous, individuellement ou intégrés à un ensemble ornemental, ont une originalité et un charme infinis.

Dans ce pays de soleil et de vent implacables, les **portes et les fenêtres** sont conçues pour mettre l'intérieur des maisons à l'abri des assauts de la nature. Les fenêtres sont donc souvent doublées de volets, pourvues de barreaux en fer forgé ou réduites à un simple œil-de-bœuf, surtout lorsqu'elles sont exposées au nord. Les portes-

Les rideaux de buis laissent passer l'air et un peu de lumière, mais pas les mouches !

Cette porte de village, au Plan-du-Castellet, couleur ocre délavé, est mise en valeur par un heurtoir, une poignée et une serrure de cuivre.

fenêtres, ouvrant sur des terrasses ou des balcons, sont également protégées par des contrevents. Pendant la journée, les pièces sont maintenues dans la pénombre, volets clos sur la chaleur du soleil. On ne les ouvre que le soir pour laisser entrer l'air frais.

Portes et fenêtres, surtout quand elles sont cintrées, sont souvent encadrées de pierres taillées, disposées symétriquement pour le plus grand plaisir de l'œil. Elles sont en tout cas toujours peintes avec beaucoup de goût, et parfois entourées d'une large bordure blanche. Les portes sont soit en bois massif orné de fer forgé, soit plus ordinaires et simplement décorées.

Il n'est pas rare que des treilles grimpent autour des portes d'entrée, procurant une ombre bénéfique au cours des brûlants mois d'été. Le rideau de perles, ou rideau de buis, si familier en Provence, laisse passer l'air tout en interdisant l'entrée aux mouches et autres insectes volants.

Volets et porte assortis, ci-dessus, donnent une touche typique à ce mas des environs de Saint-Rémy.

L'originalité de la porte ci-dessus tient à l'utilisation simultanée de deux largeurs de planches.

A gauche, les volets bleu lavande de ce mas ont été à demi fermés au puissant soleil de l'après-midi. La porte délabrée de cette cabane de jardin à Maillane, ci-dessus, a été autrefois peinte en rouge brique pour s'accorder avec le mur.

Les portes-fenêtres sont équipées de contrevents que l'on peut verrouiller (ci-dessus). Ci-contre, porte de jardin du XVIIIe siècle à Fontvieille pourvue d'une serrure ouvragée et d'ornements en fer forgé.

Une lourde porte cintrée bleu turquoise et des volets assortis protègent cette maison du XVIIIe siècle sise au Paradou, et donnent du caractère à sa façade.

Jardin près d'Eygalières : vue, dans la perspective d'un porche (ci-dessus) ou en détail (à droite), d'une porte à panneaux sculptés asymétriques, encadrée de pierres taillées et surmontée d'un œil-de-bœuf. Cette petite fenêtre éclaire le corridor intérieur.

La fenêtre de l'étage reprend, en plus petit, la forme, le style et les moulures de la porte-fenêtre, conférant à cet ancien relais de poste de Maillane un caractère esthétique particulier (photo de gauche).

A gauche : aux Imberts, près de Gordes, porte de bois ornée de clous de différentes grosseurs et munie d'une poignée ovale en fonte.

Dans une petite maison de Tarascon, les fenêtres des chambres sont traditionnellement habillées de rideaux de dentelle et de doubles rideaux de tissu imprimé.

Architecture de la fin du XIXe siècle à Nice : fenêtre cintrée et profondément encastrée dans le mur.

Les Imberts : un simple rideau de mousseline habille cette petite fenêtre de chambre (ci-dessus). La niche triangulaire au-dessus de la fenêtre aux volets ordinaires (à droite) laisse pénétrer un peu de lumière lorsque ceux-ci sont clos, aux heures chaudes de la journée.

Dans cette maison rénovée du XVIe siècle près de Gordes (photo ci-dessus), la petite fenêtre du corridor très basse, est protégée par un barreau de fer forgé décoratif. Le petit œil-de-bœuf, à droite, éclaire l'atelier d'un artiste établi dans les collines des Baux-de-Provence.

Porte-fenêtre et terrasse d'une propriété de Maillane exposées aux derniers rayons du soleil.

La fenêtre cintrée de cette maison villageoise est entourée de pierres taillées à la main et protégée par des volets cloutés.

Entrée du colombier du Château de Barbentane, près d'Avignon (tout en haut). Sous le colombier (photo ci-dessus), se trouvent les étables et les bergeries en pierre.

Le grand colombier, construit en forme de tour au début du XVIIIe siècle, est un des bâtiments annexes situés à la périphérie de la propriété.

Le **pigeonnier, ou colombier,** fait partie intégrante du paysage de la campagne provençale. Attenant à un bâtiment de ferme, ou isolé, le pigeonnier était entretenu dans un but d'économie vivrière. Le guano de pigeon fournissait par ailleurs un excellent engrais pour les champs. Certains colombiers très ordinaires forment simplement des petites pyramides au-dessus d'une grange. D'autres, en revanche, sont de véritables constructions à l'architecture élaborée et originale. Les alvéoles, en forme de cœurs, de feuilles de trèfle ou de voûte, sont adaptés à la taille des pigeons, trop petits donc pour leurs prédateurs, les aigles en particulier. L'intérieur est garni de perchoirs individuels, parfois plusieurs centaines ! Il fut un temps où le pigeonnier avait un lien direct avec la loi et la coutume, dans la mesure où il servait de base de calcul pour l'impôt, par exemple. Ce n'est plus le cas aujourd'hui ; ni signe extérieur de richesse, ni ressource alimentaire, l'élevage du pigeon relève plus du violon d'Ingres.

Les pigeons blancs du colombier de La Belugue (en Camargue) sont intrigués par le photographe.

Les **toits** de Provence doivent leur douce inclinaison et leur extrême résistance à la tuile de terre cuite, appelée également tuile romaine ou tuile ronde. Fabriquée en argile du pays, elle va du brun fauve au rouge brique, conférant aux toits un aspect de mosaïque. La fabrication des tuiles n'a pas changé depuis le temps des Romains : elles sont coulées dans des moules. Certains Provençaux vous diront cependant que, dans quelques petites villes, aux XVIIIe et XIXe siècles, les tuiles étaient moulées sur des cuisses de jeunes filles, ce qui explique, poursuivra-t-on avec le plus grand sérieux, que certaines tuiles soient un peu plus larges que d'autres.

La génoise, triple rangée de tuiles superposées reliant le toit au mur extérieur, est une particularité de la maison provençale. Grâce à elle, la maison est à l'abri des coups de boutoir du mistral.

La génoise, ce toit spécifique à la frise de tuiles superposées et formant gouttière, est un élément architectural propre aux maisons provençales.

Les maisons neuves des Baux-de-Provence arborent toujours le traditionnel toit de tuiles rondes.

De Montélimar à Marseille, les **plafonds aux poutres apparentes** (taillées à la main) ajoutent un charme rustique aux maisons de campagne et aux mas. La tendance actuelle est de conserver leur aspect naturel, mais au XIXe et au début du XXe, il était courant de les recouvrir, ainsi que les murs, d'un épais enduit de plâtre. Cet enduit ininflammable réduisait les risques en cas d'incendie. En effet, dans ce pays aux étés particulièrement secs, il fallait pourtant entretenir le feu dans la cheminée toute la journée pour faire cuire les aliments. Le plafond « à caisses » est également typiquement provençal. Il est composé de petites poutres alignées qui soutiennent le plancher de l'étage supérieur. Dans les maisons plus rustiques, les petites poutres sont souvent jointes par du plâtre, ce qui crée un assez bel effet de rayures. Il se peut que le plafond soit constitué exclusivement de « caisses », mais ces dernières sont plus souvent soutenues par de lourdes poutres.

Dans cette maison des Luquets, près de Gordes, les vieilles poutres taillées à la main donnent beaucoup de charme à la salle à manger baignée de soleil.

Dans le Mas de Curebourg à l'Isle-sur-la-Sorgue, les « caisses » du plafond servent également de soutien au plancher de l'étage.

Lors de la rénovation de cette maison, les propriétaires ont fait surélever le plafond au-dessus des poutres dans le salon situé au premier étage de la maison.

Deux exemples de rénovation avec poutres et « caisses », anciennes : la cuisine (ci-dessus) à Moustiers, et la salle de séjour (à droite) au Paradou donnent une impression de modernité tout en étant essentiellement aménagées avec des éléments des XVIIIe et XIXe siècles.

Plafond aux lourdes poutres éclairé par une lucarne. Cette cuisine est située au dernier des quatre étages d'une maison construite à flanc de colline à Moustiers.

Toit de tuiles et génoise pour l'extérieur, carreaux de faïence pour l'intérieur, voilà le portrait type de la maison provençale. Le bois étant un matériau plutôt rare en Provence, comparé à l'argile, c'est tout naturellement (économie oblige) que l'on a songé à recouvrir les sols de **carreaux de terre cuite,** naturelle ou émaillée. Ces carreaux présentent d'autres avantages : ils tempèrent la chaleur en été et le froid en hiver, et sont en outre d'un entretien facile. Il y en a de toutes les formes et de toutes les tailles. Grands ou petits, les carrés, rectangles, hexagones (ces derniers ayant fait leur apparition au XVIIIe siècle) vont du modèle le plus rustique au plus recherché, et dessinent sur les murs et les sols des motifs polychromes ou géométriques. Le dallage en marbre est beaucoup plus rare et plutôt réservé aux riches propriétés construites vers la fin du XVIIe, ou au XVIIIe siècle (le Château de Barbentane par exemple). On trouve encore aujourd'hui des

Pour la salle de bains du Château de Fontarèches (Uzès) : plafond de petites poutres et dallage de terre cuite.

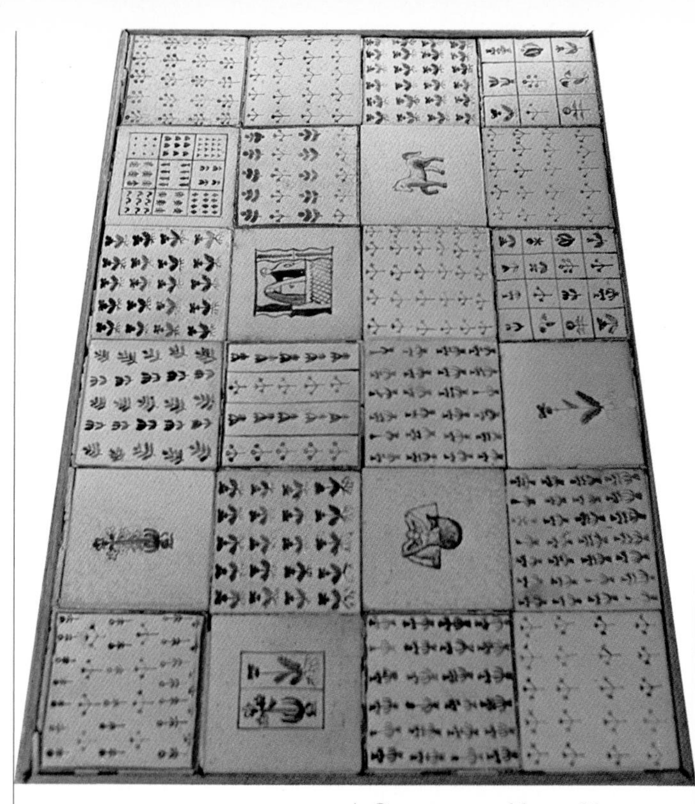

Ces carreaux bleu et blanc décorés à la main embellissent aujourd'hui le plateau d'une table de terrasse (ci-dessus).

Dans la cuisine du Château de Fontarèches (ci-dessous), le plan de travail est revêtu de grands carreaux émaillés d'un luxuriant vert foncé.

L'actuel marquis de Barbentane a découvert une caisse de carreaux de faïence du XVIIIe dans les greniers de son château : il en a fait un sentier menant à la piscine (ci-contre).

Motif géométrique pour le sol de la chapelle du Château de Barbentane (carreaux du XVIIIe siècle).

Petits carrés de terre cuite du XVIIIe siècle : le dallage classique des maisons villageoises à Moustiers.

Même vu de près, le marbre, posé en trompe l'œil au Château de Barbentane, donne l'illusion de la profondeur et de la forme.

De grands carrés de terre cuite, patinés et usés par le temps et les pas couvrent le sol d'une maison du XVIe siècle à Ménerbes.

Ces carreaux à motifs du XIXe siècle finissant ornent le foyer d'un mas Renaissance, restauré près de Mouriès.

Le rouge des héxagones de terre cuite contraste avec le bleu lavande des murs (salle de bains du Château de Fontarèches). Les portraits fixés au mur sont des caricatures espagnoles du XIXe siècle.

Deux formes de carreaux verts, et deux manières de disposer les briques assurent la décoration originale de ce foyer dans une cuisine rustique du Paradou.

carreaux de faïence du XIXe, voire du XVIIIe siècle, certains parfaitement conservés. Ces carreaux jouissent d'une cote particulière pour le caractère qu'ils apportent à toute rénovation.

Avant l'avènement du gaz et de l'électricité, le **foyer** occupait une place prépondérante dans la maison. Principale source de chaleur, et cuisine tout à la fois, il était inévitablement synonyme de bien-être et de sécurité. Dans la plupart des maisons, il n'y a alors qu'une pièce commune où la famille se réunit pour les repas, le travail ou le repos, et le foyer en est le point central. Le foyer, c'est-à-dire l'endroit où l'on fait du feu, est devenu par extension le lieu, l'abri où se réunit la famille, puis a signifié la famille elle-même. L'encadrement du foyer, la cheminée, est souvent le seul ornement de la pièce commune : en elle s'exprimera donc le génie créateur du maçon. Étant spécialement conçues pour des espaces définis, les cheminées sont toutes différentes. Implantées en général dans les murs est ou ouest, elles sont construites en plâtre, galbées et ornées de simples moulures. D'autres, moins ordinaires, sont en pierre taillée ou en marbre. Nombre d'entre elles sont monumentales — un homme y tient debout sans difficulté. En fait, une à quatre personnes peuvent s'y asseoir, notamment la grand-mère et ses aides pour y préparer les repas. L'âtre est équipé de niches pour le

Dallage de marbre en trompe l'œil (XVIIIe siècle) pour les salons en enfilade du Château de Barbentane. Il révèle l'influence italienne prépondérante à cette époque.

Le médaillon du salon principal du Château de Barbentane, œuvre d'artisans italiens, est en marbre provenant de carrières italiennes.

Dans cette cheminée monumentale, construite en 1768 au Mas de La Belugue en Camargue, une à deux personnes pouvaient tenir à l'aise. Les ouvertures en nid d'abeille, à droite, s'appellent des « potagers ». Autrefois, on les remplissait de braises, et on posait les casseroles sur le dessus, sur des grilles. Le repas mijotait alors à petit feu toute la journée.

rangement des condiments, de crochets pour les ustensiles de cuisine, de grands chenets et d'une broche. Telle est la symbolique attachée à l'âtre que, dans la Provence d'autrefois, la pendaison de la crémaillère est une cérémonie équivalant aujourd'hui à la signature d'un acte notarié.

Les **escaliers** provençaux sont travaillés dans la pierre ou revêtus de carreaux de faïence car le bois était rare et cher dans cette région. Certains escaliers d'intérieur sont assez étroits pour s'adapter à une encoignure ou à un vestibule. Les rampes sont pierre de taille, en fer forgé et parfois en plâtre moulé. Les escaliers extérieurs, permettant d'accéder au second étage, étaient souvent construits sur mesure par un maçon du pays. Nombre de ces escaliers s'élèvent parallèlement à la façade de la maison, quand ils n'y sont pas accolés.

Cette cheminée dans une maison restaurée de Moustiers s'inspire d'une photographie du livre de Jean-Luc Massot : *Maisons rurales et vie paysanne en Provence* (Éditions Serg, 1975).

Cette cheminée en pur Louis XV trône dans une propriété du XIXe siècle des environs d'Eygalières.

L'escalier extérieur conduisant au second étage de cette maison, la première mairie de Fontvieille après la Révolution, a une forme évasée et arrondie peu habituelle. A droite, classique escalier intérieur en pierre taillée (maison du XVIe siècle à Ménerbes).

Cet étroit escalier en colimaçon (à gauche) est une des singularités d'un mas construit au XVe siècle à Gordes. Un étroit escalier de pierre du XVIIIe siècle, pourvu d'une rampe massive, flanque un mur du Château de Fontarèches.

L'eau coule doucement de cette monumentale fontaine du XIXe siècle, pièce d'ornement d'une propriété des environs de Saint-Rémy-de-Provence.

A Saint-Rémy-de-Provence où il est né, la fontaine Nostradamus (début du XIXe) honore la mémoire du célèbre médecin et astrologue du XVIe siècle.

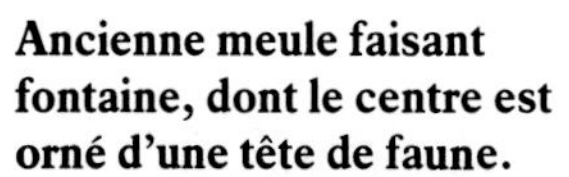

Ancienne meule faisant fontaine, dont le centre est orné d'une tête de faune.

Dans un pays aride, les **fontaines** sont un luxe nécessaire : source d'eau potable où l'on se désaltère et ornement tout à la fois. Ainsi de la Provence, où une multitude de fontaines, de la simple borne à la cascade monumentale couverte de mousse, occupent places de villages et grandes propriétés. Outre la fourniture d'eau potable, les fontaines servaient également d'abreuvoir pour les chevaux ou de lavoir, voire les deux à la fois. Aujourd'hui encore, dans certains villages, il n'est pas rare de voir un groupe de femmes faisant la lessive hebdomadaire dans le bassin de la fontaine municipale.

La pierre, qui abonde en Provence, a inspiré le génie créateur des artisans locaux au-delà d'une utilisation restreinte aux encadrements de porte, escaliers et cheminées. Leur habileté et leur

Ces massives statues de paysans (XVIIIe siècle), en calcaire du pays se détachent sur un frais rideau de bambous et ornent les bords d'un petit bassin dans les jardins du Château de Roussan près de Saint-Rémy.

A gauche : un chérubin (XIXe) capte l'attention dans une allée du jardin privé à Fontvieille.

imagination, enrichies des techniques apprises auprès des sculpteurs italiens itinérants des XVIIe et XVIIIe siècles, ont produit nombre de ces **sculptures de pierre,** destinées à la décoration d'intérieur ou d'extérieur, si populaires et prisées par toute la Provence. Taillées dans le grès, le calcaire ou, plus rarement, le marbre, elles représentent des personnages d'inspiration romantique, allégorique, parfois religieuse. Les corbeilles de fruits ou de fleurs sont également un thème de prédilection. Les sculptures en terre cuite et en bois, quoique beaucoup moins courantes, existent aussi en Provence.

Les particularités du style provençal ne seraient pas complètes si l'on omettait les **animaux,** au sens propre comme au figuré. En effet, ils ont toujours occupé une place primordiale dans ce Midi essentiellement agricole : chèvres et moutons en Haute-Provence, chevaux et taureaux en Camargue, cygnes et paons dans les châteaux de Basse-Provence, poules et coqs dans les fermes, chiens et colombes un peu partout. De même, dans leurs demeures, les Provençaux aiment à s'entourer de l'image de ces animaux : en bronze, en bois, en pierre, en argile… Cette faune confère au style provençal une saveur de terroir toute de naturel et de simplicité.

Le chérubin dodu ci-dessous décore la balustrade du jardin à l'italienne du Château de Barbentane (début XVIIe).

A l'extérieur du Château de Barbentane, cette corbeille de fruits de Provence (sculpture de la fin du XVIIIe) orne une rampe d'escalier.

Figure de paysan du XIXe. A l'origine ornée de couleurs éclatantes, elle a retrouvé au fil des ans la teinte du bois naturel (collection privée de la Maison de la Tour, magasin d'antiquités à Fontvieille).

La place de la Mairie de la petite ville du Paradou est ornée d'une fontaine moussue, portant un buste à la mémoire de Charles Rieu, poète du pays.

Tête de faune ornant un abreuvoir transformé en petit jardin d'eau.

Gypserie du XVIIe siècle qui orne l'intérieur d'une chapelle dans la ville fortifiée des Baux-de-Provence.

Sculpté au XVIIIe siècle, ce mistral aux traits capricieux souffle sans repos au Château de Barbentane.

Tête de bélier en calcaire (création de Jean Granier, sculpteur au Paradou).

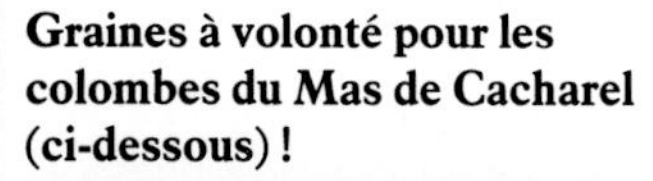

Graines à volonté pour les colombes du Mas de Cacharel (ci-dessous) !

Les taureaux se promènent en liberté sur les rives de l'embouchure du Rhône en Camargue.

De temps à autre, on aperçoit un petit troupeau de chèvres en pâture (Haute-Provence).

Un cygne et quelques canards font bon ménage sur le ruisseau qui traverse les terres du Château de Roussan, près de Saint-Rémy.

Un lézard se chauffe au soleil à Fontvieille.

Au Mas de Cacharel, en Camargue, les descendants des blancs chevaux sauvages de la région étanchent leur soif à la tombée du soir.

Au village d'Evenos dans les environs de Toulon (photo de gauche), les moutons rassemblés regagnent la bergerie à la fin de la journée.

Le couple de chats ci-dessus, en fonte patinée, orne une terrasse au Paradou.

Coq en bronze du XIXe forgé près d'Uzès. Dressé sur ses ergots, il lance son chant ininterrompu dans une cour près de Remoulins.

Fiers et distants, les paons ci-dessous se promènent en liberté au Château de Fontarèches au nord d'Uzès.

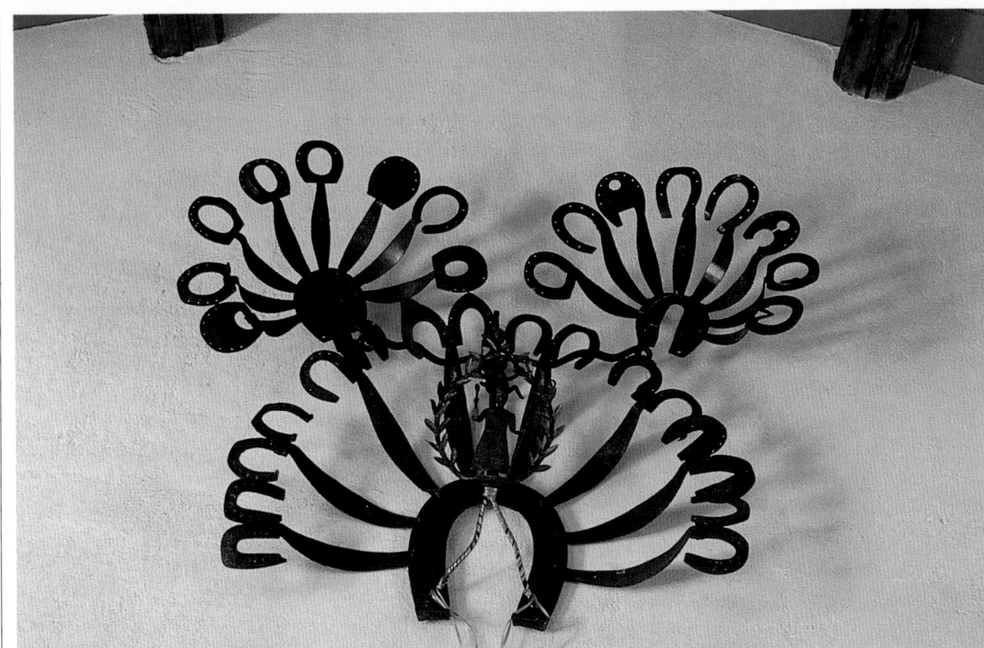

Le **fer forgé** et la fonte sont très présents dans l'ornementation des maisons provençales, en particulier des mas et des bastides. Ainsi, des grilles en fer forgé s'ouvrent sur ces grandes propriétés, à l'intérieur desquelles la dentelle de fer des rampes accompagne les volées de marches. Le goût provençal est, semble-t-il, particulièrement attiré par la rigidité du matériau et les prouesses de délicatesse et de grâce qu'il permet. Les ferronniers d'Aix-en-Provence, Avignon, Arles, Toulon, Uzès, Nîmes et Carpentras ont porté cet art à un point culminant. Là encore l'influence du règne de Louis XV se fait sentir. En effet, les lignes plutôt austères des grilles et des balcons commencent alors à s'adoucir, et deviennent plus fluides, plus gracieuses.

Il existe aussi en Provence une foule de **petits objets** décoratifs et fonctionnels, produits de l'**artisanat local.** Cages à oiseaux, filtres de chanvre pour pressoirs à huile d'olive, coffres de cuir

Ci-dessus : délicate sculpture en fer forgé, composée de motifs en fer à cheval, ornant le mur d'un salon près d'Eygalières.

La lanterne en fer forgé ci-dessus, fonctionnant aujourd'hui à l'électricité, accueille le visiteur au Mas de Cacharel. Sur les terres du Château de Roussan se dressaient les restes de l'ossature en fer forgé d'une serre du XIXe siècle aujourd'hui parfaitement restaurée.

La balustrade en fer forgé, ci-dessus, aux lignes très galbées, rappelle le style espagnol (Les Imberts près de Gordes).

A l'entrée d'un mas près de Saint-Rémy, une belle lampe en fer forgé est suspendue sous une petite ouverture en forme de diamant (ci-dessus).

La grille en fer forgé ci-contre protège, avec élégance, une petite maison du Paradou.

Près de Mouriès, cette grille en fer forgé, aux lignes austères barre l'entrée de l'élégant Mas du Brau.

L'applique ci-dessous éclaire une terrasse dans un mas de Camargue.

Ci-dessous : vieux mannequin en fer forgé appuyé contre un mur aux Imberts.

La Maison de la Tour, magasin d'antiquités à Fontvieille, a choisi pour enseigne un bouclier peint à la main fixé à une lourde grille en fer forgé.

ou d'osier, paniers d'osier, chapeaux, miroirs peints à la main, échelles rustiques… tous ces objets disparates ont en commun la fraîcheur, le sens de la couleur et l'harmonie des lignes.

Les **santons** (santouns en provençal, c'est-à-dire « petits saints ») évoquent particulièrement la Provence. Ce sont des figurines à l'origine destinées à orner les crèches à Noël, mais que l'on vend aujourd'hui tout au long de l'année dans un but simplement décoratif. Les santons traditionnels sont très simples. Hauts de quelques centimètres, ils sont fabriqués en argile pressée dans des moules en plâtre, puis peints à la main. Outre ceux-ci, il existe à l'heure actuelle des santons excessivement élaborés, sorte de grandes poupées aux visage et mains d'argile très réalistes, vêtues de somptueux habits. Les santons tirent leur origine de la représentation de la Nativité en Italie au XVIe siècle.

A gauche : pompe en fonte ornant une petite place aux Imberts.

Malle de cuir cloutée de cuivre du début du XVIIIe siècle. A l'origine, les mains des anges se tendaient vers un buste de Louis XIV, également reproduit sous la serrure. Ceux-ci ont disparu pendant la Révolution.

Ci-dessous : les « scourtins », filtres de chanvre pour les pressoirs à huile, sont couramment utilisés en guise de dessous-de-plat, de paillassons ou de décorations murales. Les cerises au vinaigre sont une spécialité provençale.

Cette splendide cage à oiseaux du XIXe siècle a été reconvertie en abri pour lapins dans une cour près de Saint-Rémy (ci-dessus).

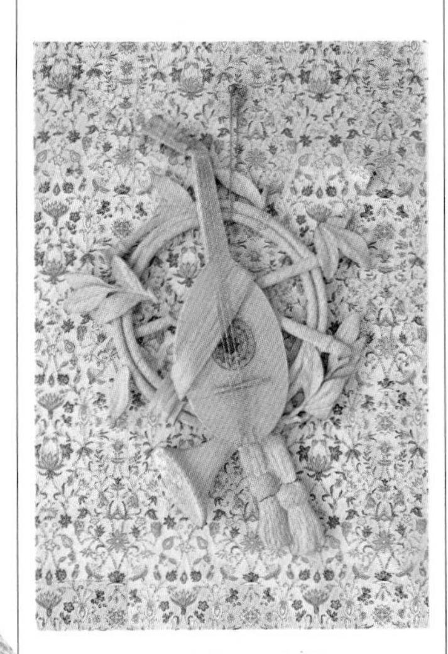

Le motif de plâtre ci-dessus orne le mur d'un salon au Château de Barbentane. Ce mur est recouvert de petites planches de papier peint à la main (motif fleurettes) datant du XVIIIe siècle.

Ils font leur première apparition en Provence après 1789. L'expression du culte est alors sévèrement mise au pas. Dans ce contexte, Jean-Louis Lagnel, sculpteur sans emploi à Marseille, conçoit ces minuscules figurines à l'image de la Nativité pour un usage familial. Le succès est immédiat, car les santons arrivent à point pour combler la frustration religieuse des Provençaux. La gamme des santons est très étendue ; la Sainte Famille, les Rois Mages, l'âne et le bœuf, sont bien sûr représentés, mais aussi tous les habitants du village : le boulanger, le boucher, le poissonnier, le tisserand, le vieux couple descendant la rue, les gitans, les bergers, le meunier et les musiciens. Les collectionneurs de santons sont nombreux, et la période de Noël, propice au déploiement de ces collections, voit apparaître dans les maisons des crèches impressionnantes composées de centaines de santons tous uniques. La Foire des Santons, qui a lieu tous les ans à Marseille, fournit une excellente occasion d'en acquérir de nouveaux. En effet, tous les santonniers de Provence viennent y vendre leurs créations pour le plus grand plaisir des collectionneurs et des amateurs.

A gauche : collection de chapeaux de paille au Domaine Tempier. A droite, dans une cuisine de Moustiers, deux chapeaux de paille à large bord ressortent sur le bois d'une grosse poutre.

Le miroir ci-dessous (XVIIIe) est délicatement orné de fleurs rose et bleu et d'une colombe. C'est de toute évidence un cadeau de mariage ou un bien dotal.

Ce santon raffiné (fin du XVIIIe) est doté de bras mobiles et vêtu d'un riche costume de brocart (ci-dessus).

Le coq, emblème de la France, est ici brodé de vives couleurs (broderie du XIXe siècle).

On vend des boules à lavande sur tous les marchés, comme ici, à Buis-les-Baronnies. En bois ou en céramique, elles diffusent le parfum des fleurs dont elles sont remplies.

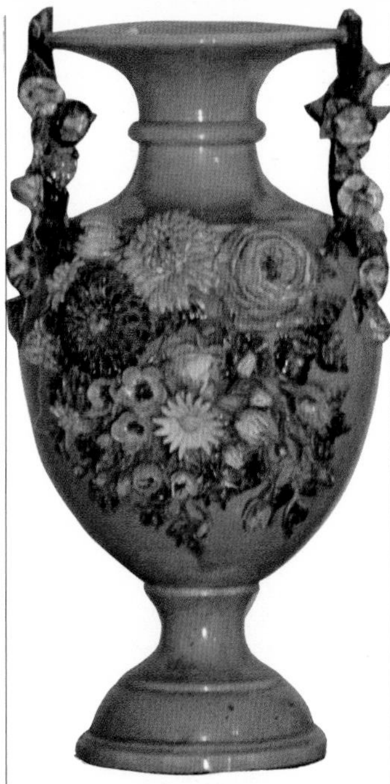

La fin du XIXe siècle se traduit par une ornementation surchargée, comme le montre ci-dessus, le vase turquoise en barbotine qui vient de Menton.

La décoration de cette boîte (paille teintée sur bois) illustre la dextérité d'un artisan du XVIIIe siècle (ci-dessus).

Spécimen assez rare de madone en papier mâché fabriquée au début du XVIIIe siècle en Provence du Sud-Ouest. Les douces couleurs du manteau drapé, de la robe et de la coiffure sont d'origine (ci-dessous).

Ci-dessus : ce charmant paysage naïf représentant Beaumes-de-Venise, a été réalisé en 1834. L'artiste, une jeune femme, a travaillé uniquement avec de minuscules perles de verre.

Le santon ci-dessus, créé peu de temps après la Révolution, esquisse un mouvement des bras particulièrement expressif. Les détails du visage sont, en outre, exceptionnellement étudiés.

Les cadrans solaires peints à la main, comme celui de gauche, rehaussent fréquemment les murs des bastides. Plus ou moins complexes, ils indiquent l'heure, voire le jour et le mois.

VIVRE EN PROVENCE

Les plus belles maisons provençales, humbles ou nobles demeures, sont toutes fidèles à leurs origines. Dans un petit villa ge ombragé des Bouches-du- Rhône, dans la campagne vallonnée du Vaucluse ou dans les plaines chaudes et sèches de la Camargue, partout, elles ne font qu'un avec le pays, lui empruntant leurs matériaux, y conformant leurs proportions et maintenant entre elles une respectueuse homogénéité. Au royaume de l'architecture et

de l'ornementation, l'harmonie est reine. Ce chapitre est consacré à la présentation de six maisons remarquables. Typiquement régionales, elles ont toutes cependant un caractère unique, dû à la recherche stylistique individuelle de leurs occupants.

AU PAYS DE FRÉDÉRIC MISTRAL

« Notre maison est une œuvre d'amour », déclare Estelle Garcin. « Pendant vingt ans, nous avons rassemblé des meubles et des objets en prévision du jour où nous trouverions la maison idéale. Et nous l'avons trouvée ! Il y a cinq ans de cela. » Estelle et Émile Garcin ont découvert leur maison de rêve dans la patrie de Frédéric Mistral, poète et Prix Nobel, chantre inconditionnel de la Provence. L'imagination et le temps investis par les Garcin transparaissent dans les moindres aménagements de leur maison du parc paysager soigneusement entretenu aux murs toujours immaculés en passant par les nombreux meubles de conception personnelle et les splendides bouquets de

Sous les fenêtres de la salle à manger, cette lourde table de pierre et ses chaises en fer forgé servent de temps à autre pour un dîner à la fraîche.

A l'origine, la maison de maître (XVIIIe siècle) de la famille Garcin, en partie cachée par des platanes, était une écurie. Ses murs blanc crème et ses volets d'un brun tendre s'harmonisent parfaitement avec le vert et le grège des alentours.

A l'ombre d'un énorme platane, une table en fer forgé et des fauteuils d'osier de Vallabrègues invitent à la détente.

Au fond du vestibule, dallé de noir et blanc, s'envole un gracieux escalier dont la rampe en fer forgé date du XVIIIe siècle (photos de gauche et ci-dessous).

fleurs séchées faits maison qui ornent la plupart des pièces. Tout l'intérieur de la maison respire la Provence : pierre taillée, fer forgé, carreaux de faïence, indiennes, meubles régionaux, vanneries, herbes et fleurs séchées… Et l'air !… Et la lumière !… A l'extérieur, le soleil et l'ombre jouent sur le vert des arbres, du lierre et de la pelouse, sur la douce teinte grège du gravier du pays, sur le brun chaleureux, délavé par les intempéries, des volets et des portes, sur les rutilantes potées de géraniums. Hymne à la Provence, la maison des Garcin, au pays de Mistral, en exprime l'essence.

Au-dessus des plantes vertes, dans l'entrée, un médaillon de Frédéric Mistral, en fer forgé blanc, rappelle que des membres de sa famille ont jadis habité cette maison.

A côté du vestibule, une impressionnante collection d'assiettes du début du siècle est exposée dans la salle à manger jaune crème. Le sol de cette pièce, comme ceux de tout l'étage, est pavé de grandes dalles en granit du XIXe siècle. La table ovale est entourée de chaises en noyer qui datent du début du siècle. Le plafond blanc est une version contemporaine du classique plafond à « caisses ».

L'OEIL
LA MONNAIE VIVANTE
Visionnaire
terrestres

Comme dans nombre de pièces de la maison des Garcin, des objets de collection garnissent la salle de séjour jaune et blanc. Une partie de la collection de paysages et natures mortes d'Émile Garcin est exposée sur le mur du fond, de chaque côté de la cheminée. Émile a lui-même conçu les sofas et fauteuils contemporains habillés de laine blanche.

Entre les portes-fenêtres de la salle de séjour, à gauche, un secrétaire anglais en acajou contient tout un assortiment d'accessoires d'écriture, ainsi que certaines pièces de collection, dont une sculpture circulaire en bronze de Bruno Romeda.

Dans un coin, une table de jeu, nappée d'un éclatant boutis du XIXe siècle, est entourée de chaises anglaises imitation bambou (photo de gauche).

Des ours sculptés de tous les pays sont exposés sur une table, à gauche de la cheminée (photo de droite).

Une foule d'objets hétéroclites — brosses de peintre, bocaux de pharmacie, voitures de sport miniatures et santons du XIXe siècle — garnissent des vitrines et des étagères fixées à l'un des murs de la salle de billard (photo de gauche).

Une lumière diffuse tombe, de cette petite fenêtre en forme de hublot, sur une table nappée d'un boutis servant de présentoir à une collection de boîtes de cigares.

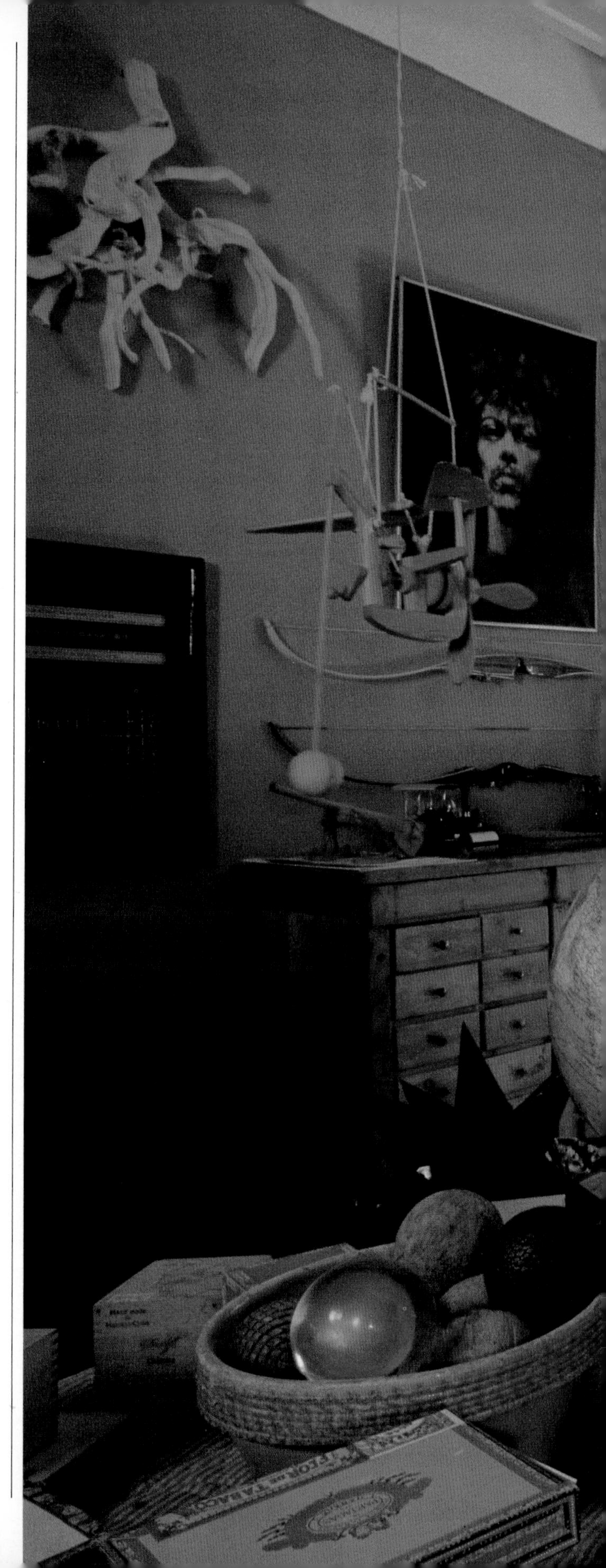

Dans la salle de billard, à droite, s'amoncellent de petits objets de collection et des souvenirs.

PARTAGAS

A l'emplacement de la cheminée d'origine, les Garcin ont fait installer des éléments de cuisson professionnels, en acier inoxydable, ainsi que des surfaces de travail et de rangement en faïence émaillée (ci-dessus). Quelques ustensiles de cuisine, collectionnés par Estelle Garcin, sont exposés sur la tablette de la cheminée (à droite).

Au-dessus du plan de cuisson, le mur est tapissé de carreaux de faïence émaillée. L'ensemble est mis en valeur par un éclairage intérieur.

Le cœur de la maison des Garcin, c'est l'immense cuisine aux douces fragrances émanant des multiples bouquets de fleurs et de plantes séchées. Styles Louis XV pour le buffet à deux corps contre le mur de droite et Louis XVI pour les chaises de Vallabrègues autour de la table.

Les tiroirs, le long du mur du fond (ci-dessus), viennent d'une épicerie du pays. Pour les décorer, Estelle Garcin a fait ménager sur la face avant un espace d'un centimètre environ (grâce à un système de double vitrage) qu'elle a rempli de divers légumes secs. Ces tiroirs contiennent en fait des ustensiles de cuisine. Les tiroirs manquants ont été remplacés par des corbeilles d'osier tressées sur mesure à Saint-Rémy.

Une grande baignoire en porcelaine blanche sépare les lavabos de Madame et de Monsieur et leurs accessoires (petites armoires et miroirs en bambou assortis).

Près de la fenêtre de la salle de bains, ce fauteuil en rotin donne à la pièce un étrange petit air oriental non dénué d'élégance.

Table nappée d'un boutis provençal, posée près d'une fenêtre dans une chambre. Les deux aquarelles représentent la maison des Garcin.

Le vert des volets, ci-dessus, s'harmonise presque à la perfection avec les tons du luxuriant feuillage qui enveloppe la maison de Jean-Pierre.

DEUX MAISONS AU PARADOU

Le Paradou, là où Régine Deméry et son frère Jean-Pierre ont choisi de s'installer, à quelques pas l'un de l'autre, est un petit village situé à mi-chemin entre Arles et Saint-Rémy. Leurs deux petites maisons, hautes en couleur et accueillantes, se dressent à l'écart de la rue principale du village et sont mises à l'abri des vents, et du regard curieux des rares passants, par une luxuriante ceinture de cyprès, d'arbres fruitiers, de palmiers, d'arbustes en fleurs et de treilles.

La maison rose et turquoise de Régine est la plus ancienne. Construite en 1750, à la fois étable et résidence, elle abritait à l'origine jusqu'à 10 personnes, plus les animaux. Quant à la maison rose cendré et vert printemps de Jean-Pierre, sa construction remonte à 1870. C'est alors une bergerie, à laquelle on ajoute une aile en 1950. Ces deux maisons ont un aspect méridional au possible : fenêtres et portes pourvues de volets et encadrées d'une bande blanche, toit de tuiles rondes, génoise. L'intérieur de chacune reflète la personnalité distincte de ses occupants, qui partagent toutefois un solide héritage provençal. Modestes, chaleureuses et accueillantes, ces deux maisons ressemblent à Régine et Jean-Pierre : elles sont très sympathiques.

Le petit chemin ci-dessus réunit la maison de Jean-Pierre à celle de Régine. Au loin, la femme de Jean-Pierre, Christine, et leur fils, Jean-Victor, rentrent de promenade.

Régine Deméry voulait que sa maison du Paradou, construite en 1750, soit l'expression exacte de ses goûts personnels. Sur le mur de la cuisine, ci-dessous, elle a accroché des peintures naïves ainsi que des petites maisons de plâtre, dont deux reproduisent sa propre maison (en haut à droite et en bas au centre).

La maison de Régine Deméry, à droite, a plus de deux siècles. Rose vif et turquoise, ces couleurs révèlent la personnalité généreuse et accueillante de la propriétaire.

CHEZ RÉGINE

Régine a le goût des couleurs vives et elle a fait en sorte que la maison du Paradou, où elle vit avec son mari Francis Azole, réponde à cette tendance. Elle n'y a pas manqué : pour la première fois depuis deux cents ans peut-être, la maison n'a pas été peinte à l'extérieur, mais badigeonnée d'un rose foncé sur lequel le bleu turquoise des volets tranche avec vigueur. L'intérieur, en revanche, est entièrement peint en blanc, y compris les poutres du plafond, et le sol de la salle de séjour est dallé de grands carreaux de céramique blanche. Cette pièce, inondée de lumière pendant toute la journée, est rehaussée par les éclatantes couleurs des tissus imprimés.

Dans la cuisine de Régine : longue table de ferme décorée d'un foulard Souleiado et de plats portugais. Le sol est couvert de carreaux de terre cuite. La cheminée est de construction récente.

Dans la salle de séjour, en haut à droite, les imprimés à dominante rose vif habillant fauteuil, sofa et gros coussins, contrastent avec la blancheur des murs, du plafond et du dallage. Ce rose est repris dans le motif du vase de faïence posé sur la table basse. Dans la chambre, simple et claire, au centre à droite, un vieux mannequin de couturier porte quelques pièces de costume provençal traditionnel. L'armoire est d'origine anglaise. La salle de bains de Régine, récemment refaite, en bas à droite, est peinte couleur ivoire et ornée de carreaux de faïence Souleiado à dessins traditionnels, dans les tons vert, blanc cassé et bleu.

La maison de Jean-Pierre au Paradou est une ancienne bergerie construite en 1870 à laquelle il a ajouté une aile nouvelle en 1950. La couleur rose cendré des murs, ci-dessous, est celle de l'enduit utilisé à la place de peinture. A l'extrémité de la maison, une petite chambre (photo de droite) ouvre directement sur le jardin.

Le rideau de cette petite chambre est un imprimé cachemire Souleiado blanc, rose et vert (photo de gauche). Des petits coussins recouverts de coton imprimé sont disposés sur le jeté de lit provençal (fait main) du XVIIIe siècle. La table est dressée, à droite, pour recevoir les invités : les assiettes en faïence grenat sont l'œuvre de M. Pichon, céramiste à Uzès, la nappe et les serviettes de table assorties sont en coton provençal.

Une jolie nature morte, à droite, orne le rebord de la fenêtre : vieux santons, buste d'Arlésienne en porcelaine et vases garnis de roses et de mimosas.

CHEZ JEAN-PIERRE

En mariant des éléments provençaux — carreaux de faïence d'Apt, cotons imprimés, bouquets secs — avec du mobilier anglais rustique, Jean-Pierre Deméry et sa femme, Christine, ont su créer une ambiance originale et confortable dans la maison qu'ils partagent avec leur petit garçon, Jean-Victor. Les couleurs, ici, à dominante rose et abricot, sont plus douces que chez Régine, avec cependant quelques teintes plus vives pour les volets à l'extérieur, ou pour certains carreaux de faïence à l'intérieur. On trouve, dans le jardin de Jean-Pierre, un véhicule assez exceptionnel : une vieille roulotte de gitans restaurée, où se déroulent parfois de petites fêtes.

Plutôt insolite, une roulotte de gitans décore le jardin de Jean-Pierre. Elle offre un cadre original à quelques fêtes occasionnelles.

Murs abricot et boiseries en blond bois de pin, cette salle de séjour allie confort et éclectisme en un heureux mélange d'éléments provençaux et anglais. Un piqué imprimé et des coussins sont négligemment jetés sur les sofas. Le sol est pavé d'hexagones de terre cuite vieux de deux cents ans.

Dans l'entrée (photos ci-dessus et à droite), au-dessus d'un lavabo en céramique fabriqué à la main, les carreaux vernissés de François Vernin, céramiste à Bonnieux, forment une éblouissante composition multicolore, unique en son genre.

Un buffet mural du XIXe siècle, de facture peu courante, est encastré dans le mur de la salle de bains aux poutres apparentes. Servant à l'origine au rangement de la porcelaine et autres pièces de vaisselle, il fait aujourd'hui office d'armoire à linge. Les carreaux émaillés rose et blanc, qui revêtent une partie des murs, sont une création Souleiado.

CHAUD
FROID

UN MAS RENAISSANCE EN PROVENCE

Au milieu du XVIe siècle, la femme du gouverneur des Baux-de-Provence prie son mari de lui faire bâtir une résidence de loisir à l'extérieur, mais pas trop loin, des murs de la cité. Or, à quelques kilomètres de là, ce dernier découvre un moulin à huile d'olive dans un village, qui s'appelle aujourd'hui Mouriès. Plutôt que de faire élever une maison de fond en comble, il préfère alors convertir ce bâtiment en une élégante et vaste demeure Renaissance, dont les travaux s'achèveront en 1560.

Aujourd'hui, protégé par des murs de pierre et des grilles en fer forgé, le Mas du Brau repose au milieu des jardins, des oliviers et des cyprès, apparemment insensible au passage du temps. De toutes les plus belles maisons de la région, il est sans conteste le bâtiment le plus remarquable. Il est d'ailleurs classé monument historique. Modifié au cours des siècles, il a pris de l'ampleur, tant en largeur qu'en profondeur, mais jamais en hauteur. La ligne horizontale particulière à cette demeure a ainsi toujours été préservée.

Les propriétaires actuels du Mas du Brau, depuis 1955, ont adapté la décoration du rez-de-chaussée aux spectaculaires voûtes de pierre, réminiscence du moulin d'autrefois. Les couleurs sont neutres et l'élégance des meubles d'époques diverses contraste joliment avec la rudesse des murs de pierre.

Cette demeure, bien que provençale dans son essence — n'a-t-elle pas son toit de tuiles, ses platanes, son cadran solaire, ses entrées ombragées de treilles, et son passé de moulin à huile ? —, possède un cachet qui la distingue des autres. Cette singularité est due aux colonnes ioniques, aux frises Renaissance et à la rangée d'élégantes fenêtres posées sur sa façade par un habile architecte au milieu des années 1500, et amoureusement préservées, dans ce Midi rural, pendant plus de quatre siècles. Les photographies de ce joyau architectural sont totalement inédites.

Ce mas Renaissance exceptionnel, qui se cache derrière de hauts murs de pierre à Mouriès, a été aménagé en 1560 à partir d'un moulin à huile du XIVe siècle. La façade de l'étage s'orne alors de colonnes ioniques et d'une frise (sous le rebord du toit) typiquement Renaissance.

A l'ouest du mas, la pelouse est frangée d'une longue haie paysagée. Sur un mur latéral de la maison, un arc de pierre du XIVe siècle rappelle que là se trouvait l'entrée de l'ancien moulin (photo de gauche).

Des consoles Renaissance ont été rapportées, à intervalles réguliers, sous la corniche des fenêtres, qui court le long de la façade (photo de gauche).

Le Pavillon de la Reine Jeanne (à droite), serein et délicat, appuyé aux murs des Baux-de-Provence, non loin de Mouriès, est l'œuvre du même architecte qui, en 1560, créait la façade Renaissance du Mas du Brau. Une copie de ce pavillon a été commandée par Mistral pour son tombeau de Maillane et se trouve dans le cimetière de ce village.

Les toits de tuiles rondes du mas, inclinés dans toutes les directions, montrent la croissance de la structure au cours des siècles (ci-dessus). Sur le mur de la maison du gardien, un cadran solaire, à côté des volets bleu sulfureux, marque les heures de la journée (à droite).

Sous les voûtes spectaculaires de la salle de séjour, là où se trouvait jadis le moulin à huile, un heureux mariage d'élégants meubles d'époques différentes produit un brillant contraste avec la rusticité des murs et du plafond de pierre. La lumière des grosses lampes est rabattue par les courbes du plafond et se reflète dans le pavement de pierres polies.

La teinte dominante de la salle de séjour reste dans les nuances d'ivoire et de beige, afin de s'harmoniser avec la couleur de la pierre. Un sofa habillé de brocart, deux fauteuils et une très longue banquette, le long du mur du fond, invitent au repos. Au premier plan, une collection de papillons sous globe.

Dans la niche où se trouvait le pressoir, il y a aujourd'hui une commode à plateau de marbre, qui a été fabriquée dans le Nord de la France au milieu du XVIIIe siècle. Au premier plan, deux fauteuils Louis XV, habillés de satin de coton à motif oriental, entourent une table basse moderne en acier et verre fumé.

Ce pianoforte Charles X, dû au facteur de pianos Pape, à Paris, en 1821, à gauche, est la pièce la plus belle du salon. Sa remarquable élégance contraste violemment avec la pierre brute du mur.

Ce recoin de la salle de séjour, à l'endroit où, jadis, se trouvaient les poêles servant à chauffer la maison pendant l'hiver, a été aménagé en petit salon de détente, avec sofa couvert d'un boutis, table basse, fauteuils Louis XV et pouf (à droite).

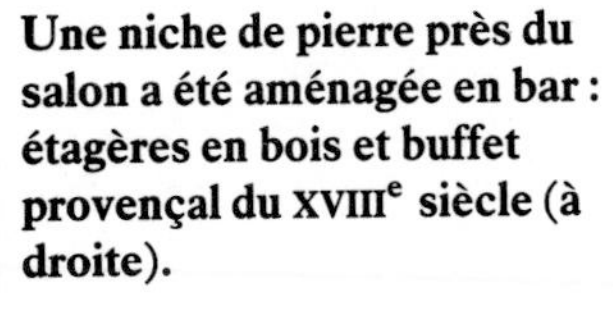

Une niche de pierre près du salon a été aménagée en bar : étagères en bois et buffet provençal du XVIIIe siècle (à droite).

Dans la chambre, ci-dessus, les rideaux fleuris et les coussins s'accordent avec les tons rosés du dallage, l'armoire en cerisier du XIXe siècle et le bureau en noyer.

Deux teintes douces dominent dans un coin du petit salon ci-dessus : beige pour l'abat-jour et le fauteuil Louis XV, ivoire pour les rideaux de lin.

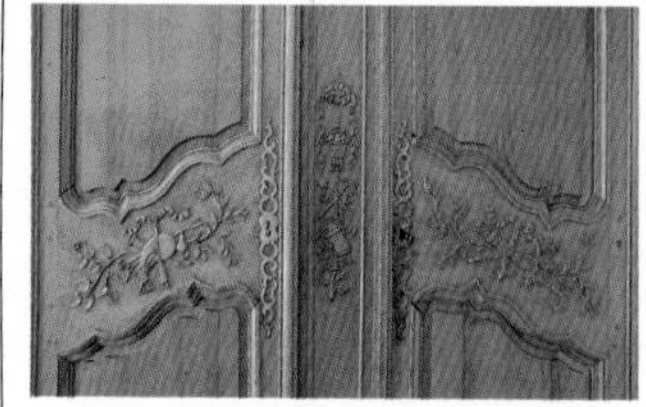

Les deux terriers de la maison se reposent au frais dans le vestibule du mas, à gauche. La grande armoire en noyer, fabriquée en Arles au XVIIIe siècle, dont un détail figure sur la photo ci-dessus, est finement sculptée de motifs champêtres.

Dans une chambre, près de la fenêtre, un fauteuil bonne femme du XVIIIe siècle flanque une table ronde couverte d'un boutis du XIXe siècle. Sur la table, quelques cristaux et un nécessaire à coiffure en argent.

SEREINE RETRAITE DANS LE VAUCLUSE

A la vue de cette façade discrète donnant sur une petite place de village non loin de Gordes, dans le Vaucluse, il est difficile d'imaginer la grande demeure en forme de L, l'immense jardin intérieur, orné d'un rare mûrier chinois, et l'extraordinaire piscine bleu saphir, qui se cachent derrière ces murs. Les trois bâtiments de cette résidence sont d'anciens corps de ferme de monastère, construits au XIVe siècle pour abriter vaches, volailles et vers à soie. Transformés en maisons d'habitation après la Révolution, ils n'en forment finalement plus qu'une aujourd'hui. Il y a plusieurs années, Dick Dumas, décorateur d'intérieur de nationalité américaine qui a vécu et travaillé en France pendant les trois dernières décennies, acquiert cette propriété et la fait restaurer. Puis il la décore en prenant soin de conserver son caractère provençal et de respecter ses références historiques, tout en l'inscrivant résolument dans une modernité faite d'un luxe de bon aloi et du dernier confort.

A l'ombre du mûrier, la table en fer forgé et ses chaises assorties attendent les invités de cet apéritif provençal. Les niches, creusées dans le mur du fond du jardin, servaient autrefois à l'élevage des abeilles.

Les pierres du fronton et des montants de cette grande porte du XVIIIe siècle ont été achetées à un antiquaire pour remplacer la porte d'origine, basse et sans intérêt particulier. Les deux battants ouvrent directement sur une petite bibliothèque. Dans la perspective, vue sur le jardin intérieur.

La salle de séjour (plafond à poutres et « caisses », deux murs de pierres apparentes et sol dallé de blanc) offre un étonnant contraste entre un style de décoration très recherché et l'utilisation d'éléments régionaux plutôt rustiques. Des objets d'arts oriental et moderne encadrent la cheminée du XVIIIe siècle installée par Dick Dumas.

Une table provençale à plateau de marbre (XVIIIe siècle) a été placée derrière l'un des trois grands sofas houssés de coton surpiqué. Le motif rayé du coussin rappelle celui du plafond.

Sous le plafond de la petite bibliothèque, à gauche, les structures de bois en forme de triangle rappellent celles des ruches en pierre creusées dans le mur du fond du jardin. Au centre de la bibliothèque, la grosse boule réfléchissante ci-dessus renvoie une image de la pièce à plus de 180°. Elle a permis un jour à quelque commerçant du XIXe siècle de garder un œil sur ses clients.

La bibliothèque, avec ses rayons encastrés vert mastic et sa volée de marches en pierre, est la pièce centrale de la maison, entre le petit salon et la cuisine.

Derrière la maison, l'extraordinaire piscine, au fond bleu saphir, est irrésistible par les brûlantes journées provençales. Des santolines argentées bordent le côté sud de la piscine (à gauche). La tête de cheval blanc, posée de l'autre côté, est la réplique contemporaine, en plastique et en sable, d'une sculpture romaine.

Lit à baldaquin stylisé dans la chambre de maître (ci-dessus). Conçu par Dick Dumas, il est fait de tuyaux de plomberie peints et mouchetés imitation peau de panthère. Entre les portes vitrées ouvrant sur le jardin se trouve un petit bureau Louis XV. Le lit est drapé et habillé d'un tissu imprimé rouille et blanc, créé par Manuel Canovas. Le couvre-pied imprimé à la main, plié au bas du lit, est originaire de l'Inde (à droite).

A l'opposé des portes vitrées, un fauteuil provençal style Louis XV est revêtu d'un batik de Côte-d'Ivoire (à droite). Le comptoir en bois, sur lequel sont aujourd'hui disposés des objets de collection, vient d'une ancienne mercerie. Les vêtements et le linge sont rangés dans le placard mural, aux portes à jalousies s'ouvrant en accordéon.

Dans une chambre, au-dessus de la bibliothèque, le couvre-lit et les taies d'oreiller sont en simple toile. Le lit de cuivre du XIXe siècle appartenait à l'ancien propriétaire de la maison. Une sobre cotonnade rayée beige et blanc habille la bergère Louis XVI.

La décoration intérieure de la maison, éclectique, repose sur un subtil équilibre dans la juxtaposition d'antiquités françaises des XVIIIe et XIXe siècles, d'œuvres d'art oriental et de trouvailles faites dans des brocantes ou des marchés aux puces. Cette maison, où sont réunis meubles et objets pour le moins originaux, a été rénovée et aménagée par M. Dumas dans le but de s'y retirer. D'ailleurs, pour renforcer encore l'impression d'intimité et de sereine retraite, il en a fait condamner toutes les ouvertures donnant sur la place, à l'exclusion de la porte d'entrée. Ainsi la maison est-elle complètement tournée vers elle-même et vers son jardin intérieur, ceint de murs épais.

Aquarelles et estampes ornent les toilettes.

Une collection de miroirs originaux du début du siècle, aux cadres en cuivre jaune multiplient les lignes de la salle de bains couleur crème.

Le centre de la salle de bains est occupé par une baignoire du XIXe siècle découverte chez un brocanteur et encastrée dans un bloc de pierre de pays, semblable au travertin.

Les rideaux de toile, aux fenêtres des chambres, sont soulevés par la brise de l'après-midi (à gauche).

Quatre chaises de jardin conçues par Dick Dumas sont alignées à côté de la piscine (à gauche).

Des cyprès bleus bordent et protègent la piscine contre le vent du nord (à gauche). Sous la véranda, le canapé à lattes métalliques, et le fauteuil assorti (invisible sur la photo) sont des créations de Dick Dumas (photo de droite).

Sur le haut d'un mur, côté sud du jardin, des cerises en bocaux macèrent au soleil.

UN MAS EN CAMARGUE

Dans cette Provence si extraordinaire de couleur et de lumière, la Camargue, qui en est l'extrémité sud-ouest, surprend par une plus grande intensité encore. Cette contrée est très particulière, où vivent des gardians rudes et taciturnes, des gitans, des taureaux et des chevaux sauvages. La plupart des maisons, ici, sont des fermes d'élevage, souvent basses et longues, jouxtant les écuries et les corrals. S'étendant à perte de vue sur les marais et les plaines, le Mas de Cacharel, foyer des Colomb de Daunant, famille de très vieille souche provençale, représente la ferme camarguaise par excellence. D'épais murs de pierre, enduits de plâtre immaculé, entourent des pièces basses aux dimensions modestes et y maintiennent une température particulièrement fraîche, étant donné la chaleur de

L'entrée principale du Mas de Cacharel est une petite porte de bois flanquée de massifs de romarin (ci-dessus). La porte et les volets sont peints en gris très pâle, pour contraster légèrement avec le blanc immaculé des murs. La porte (à gauche) est ornée d'un crâne de taureau blanchi par le soleil : touche camarguaise à la Georgia O'Keeffe.

Ces fauteuils de châtaignier et d'osier restent vides jusqu'au soir, à l'heure où la température baisse suffisamment pour prendre un verre en plein air.

Le cocktail de jus de tomate est une spécialité de Mme Colomb de Daunant : tranches de citron et menthe fraîche macèrent pendant trois heures environ dans une cruche pleine de jus de tomate. Nature ou allongé d'un trait de Vodka ou de Gin, c'est un apéritif très rafraîchissant par temps chaud.

four qui règne à l'extérieur. Les tuiles qui couvrent les toits et certains murs, ainsi que les petites fenêtres, contribuent également à tempérer la maison.

A l'intérieur, les plafonds aux poutres apparentes, les carreaux de faïence, les meubles régionaux et autres éléments typiquement provençaux s'accordent harmonieusement avec les attributs propres à ce pays de gardians : cette étonnante et extraordinaire sellerie, par exemple, mise en vitrine juste à côté de la salle de séjour, ou encore la collection d'armes à feu de Denys Colomb de Daunant, exposée dans cette même pièce parmi les lithographies. Une petite maison de gardian au charme austère jouxte l'arrière du bâtiment principal. Bien que l'ambiance dominante du Mas de Cacharel soit plutôt virile, peu encline à la fantaisie, il n'y règne tout de même pas le machisme absolu. Ainsi, des vols de pigeons blancs espiègles, se perchant sur les toits ou surveillant les alentours du haut de leur colombier émaillé de vert, relèvent ce mas d'une beauté délicate, presque éphémère.

De l'ail, des herbes aromatiques et des piments sont suspendus à une poutre de la cuisine (à droite). Les rangements, sous l'évier et à côté de la cuisinière, sont simplement fermés par des rideaux de vichy rouge et blanc. A côté de la fenêtre (à gauche), un pétrin du XIXe siècle, fabriqué en Arles, sert à exposer quelques faïences du pays et flacons de pharmacie bleu saphir.

Cette horloge périgourdine du début du XXe siècle marque les heures dans la cuisine. Ici, moulée en pâte à pain, la tête de taureau (au-dessus de la porte) est un motif de décoration propre au style camarguais.

Une farinière du XVIIIe siècle et une paire de massifs chenets décorent l'intérieur de la grande cheminée, rarement utilisée aujourd'hui, de la salle à manger.

Dans la salle de séjour, à côté de la vitrine de la sellerie, se tient cette table à écrire provençale Louis XV. Les médaillons de terre cuite pavant le sol sont relevés de carreaux de faïence bleu et blanc. Ce revêtement a été créé par Denys Colomb de Daunant.

La longue table de la salle à manger est décorée de carreaux de faïence bleu et blanc posés par Denys Colomb de Daunant. Sur les murs, des armes, des cornes de taureau et des lithographies anciennes.

Dans le petit salon, tous les meubles, dont ces fauteuils et cette table au plateau peint à la main, ont été réduits à l'échelle de cette pièce minuscule. Le paravent a été créé par un artiste de la région, en 1925. Peint à la main, il représente une scène religieuse montrant, entre autres, Sarah, la Vierge noire des Gitans, à l'avant d'une barque.

Tout une collection de selles, mors et cocardes, trophées de la famille, est exposée dans la sellerie sous vitrine, située au cœur de la maison, juste à côté de la salle de séjour.

Dans sa chambre, qui donne sur le marais, éloigné d'une dizaine de mètres, une des filles de la maison a exposé les chapeaux de paille acquis au cours de ses voyages. Une encoignure du XIXe siècle occupe le coin opposé à celui où se trouve son lit. Un lit Empire a été converti en sofa.

Le lit est une simple litoche du XIXe siècle. Les tissus des rideaux et des couvre-lits sont des copies (1950) des classiques toiles de Jouy des XVIIIe et XIXe siècles.

Derrière le mas, un pigeonnier, bordé de carreaux de faïence verts et couvert de tuiles rondes, abrite une vivante colonie de pigeons-paons.

La maison du gardian, deux pièces toutes simples, jouxte l'arrière du mas.

A la naissance, les blancs chevaux camarguais sont noirs, comme ce poulain qui se désaltère dans le marais non loin du Mas de Cacharel.

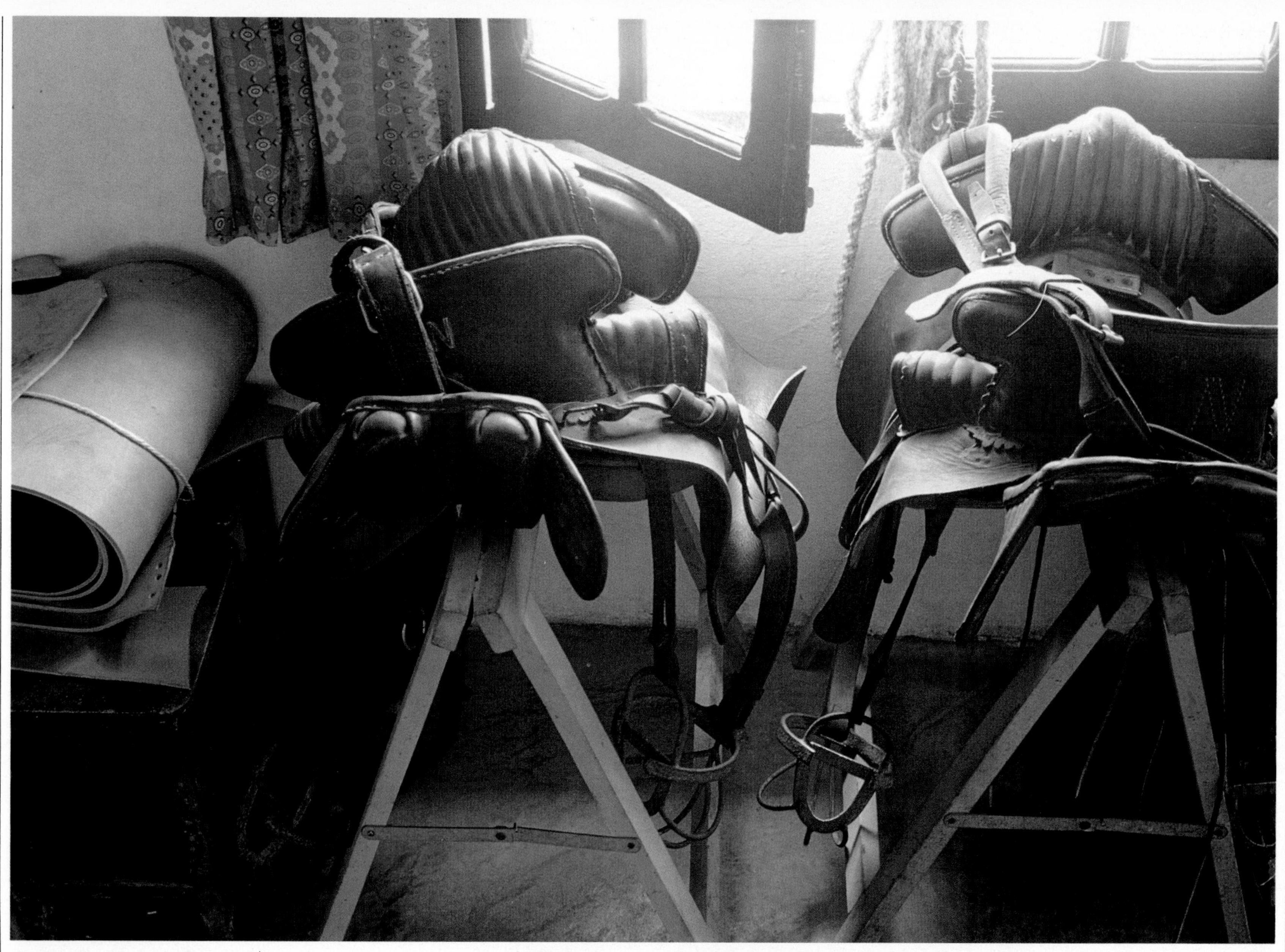

Dans la maison du gardian, deux selles posées à cheval sur des tréteaux.

Les taureaux déambulent en liberté par toute la Camargue.

La maison du gardian est équipée du strict nécessaire : une table (nappée d'un tissu plastifié Souleiado), des chaises et un divan.

L'un des meilleurs étalons de
Denis Colomb de Daunant
risque un œil hors de sa stalle
pour voir les visiteurs.

LES JARDINS

S'il fallait, en peu de mots, décrire les jardins de Provence, il suffirait de parler de leur merveilleux éclat. Ce ne sont en effet qu'explosions de couleurs vives qui ponctuent l'espace sur les rebords des fenêtres, les escaliers extérieurs, dans les entrées, le long des allées, en bordure des plans d'eau et des puits désaffectés. La terre arable étant précieuse et l'eau rare, le meilleur sol est voué à la culture des légumes et des plantes aromatiques. Néanmoins, les fleurs, dont aucun véritable Provençal ne saurait

Le jardin de Marcel Perret, dans la petite ville ombragée de Maussane, est fleuri de géraniums aux multiples nuances, plantés dans un vieux tonneau peint (en haut à gauche), dans un amas de roches volcaniques (en haut à droite) et dans une grande jarre de terre (en bas à gauche). Dans le jardin d'un mas à Mouriès, une potée de géraniums est posée sur un socle de pierre camouflé par une corolle de lierre.

se passer, ont trouvé leur place près des maisons, dans des vases, pots de terre et moult autres récipients de taille et de forme diverses. Il existe également des petits jardins de rocaille, mais ce sont plus souvent une multitude de pots serrés les uns contre les autres qui forment ensemble une composition florale éblouissante.

Les motifs floraux décorant les tissus et les meubles sont en fait le reflet de la passion des Provençaux pour les fleurs et les plantes en général. Les rosiers, églantiers, acacias, marguerites, le laurier-rose, le jasmin, les pétunias, les chrysanthèmes, la lavande, sans oublier les géraniums vivaces, tous, en un tourbillon de couleurs et de fragrances, fleurissent de Menton à Moustiers et aux Saintes-Maries-de-la-Mer. La floraison dure presque toute l'année, cessant pendant les seuls mois d'hiver aux vents glacials. La plupart de ces fleurs doivent être soignées avec amour, protégées contre le mistral et généreusement arrosées pendant les torrides mois d'été.

Au tout début du XXe siècle, la vogue, dans certains endroits de Provence, était aux jardins en terrasses. Un grand nombre d'entre eux, aujourd'hui revenus à l'état sauvage, sont incultes ; les châteaux et villas dont ils dépendent sont loués en saison uniquement, voire complètement abandonnés. Ils avaient pourtant été soigneusement pensés et réalisés. En effet, le niveau supérieur, le plus proche de la maison, était réservé aux fleurs de jardin classiques : roses, mimosas, zinnias, chrysanthèmes et autres petites plantes florifères. En dessous, trois ou quatre gradins plus bas, venaient les citronniers et les amandiers, en rangs bien ordonnés sur une surface plus grande. Puis, quelques gradins plus bas encore, se dressaient les arbustes taillés et disposés avec une précision géométrique. Enfin, une vigne, en général, ponctuait le jardin, sur les terrasses les plus éloignées de la maison.

Les fleurs en pots ont certes remplacé les jardins en terrasses, mais le pays n'en est pas moins coloré aujourd'hui. En parcourant la Provence, le long des voies urbaines ou des sentiers de campagne, dans les somptueux châteaux ou dans les humbles mas, il ne peut manquer de fleurs pour le plus grand plaisir des yeux.

Dans la vieille ville de Saint-Rémy, des géraniums roses et rouges embellissent la corniche au-dessus d'une boucherie, autrefois fabrique de fourneaux et de chaudrons.

Cet hortensia en pleine floraison pousse dans un vieux fût, à côté d'un escalier de pierre, à l'arrière du Château de Fontarèches (photo de gauche). Le long du même mur, un peu plus loin, un pot d'Anduze contient un citronnier.

Une énorme jarre ornée de têtes de bélier sert de jardinière sur une terrasse au Paradou.

A l'extérieur de la petite maison de M. Paulet, d'innombrables fleurs en pots contrastent joliment sur l'ocre des murs.

Dans le jardin de rocailles de M. Paulet, au Paradou, des fleurs de pleine terre disputent l'espace à des géraniums en pots et à diverses plantes grasses (photo de droite).

Les zinnias, soucis et marguerites comptent parmi les fleurs vivaces qui peuplent les jardins de Provence.

L'exubérance des géraniums submerge ces vases d'Anduze du XIXe siècle dans le parc du Château de Barbentane.

Des pots de terre contenant diverses plantes à fleurs sont alignés sur un mur de pierre divisant la pelouse derrière le Château de Fontarèches (photo de gauche).

A Uzès, des pots de géraniums ponctuent de rouge un mur de lierre luxuriant et éclairent la pierre d'un vieux puits (à droite).

Ce platane oriental noueux, à gauche, a été planté sur les terres du Château de Barbentane il y a plus de trois cents ans.

Dans une niche sereine, à droite, des géraniums poussent dans une jarre de terre verte typiquement provençale.

Le marquis de Barbentane a conçu ce bassin devant l'orangerie du XIXe siècle en harmonie avec la pièce d'eau qui orne l'entrée du château. De l'orangerie à l'ossature de fer forgé s'ouvre une perspective sereine sur la piscine et la terrasse.

Deux massifs de dahlias flanquent les marches de l'orangerie qui abrite une grande variété de plantes en pots à différents stades de croissance.

Une attention constante doublée d'énormes quantités d'eau sont indispensables pour maintenir en vie un jardin varié et multicolore tout au long de l'été provençal.

Un grand potager (ci-dessus) est bordé de fleurs aux couleurs éclatantes. Ce myrte, à gauche, somptueusement fleuri, est le fleuron d'un luxuriant jardin de Mouriès.

L'arc en fer forgé, à gauche, marque l'entrée du jardin.

Deux cyprès de grande taille sont postés au début de l'allée qui traverse le potager et conduit à une maison de Mouriès. Dans une allée du jardin, un jeune arbre, planté dans une vieille meule de pierre, forme une curieuse sculpture.

De l'autre côté de la route qui mène au mas, une maisonnette de pierre, vieille de près de deux cents ans, renferme un puits profond (photo de gauche).

A l'ombre de deux grands platanes, à Mouriès, ces meubles de jardin en fer forgé blanc suggèrent détente et fraîcheur.

GREAT HOUSES OF BRITAIN
ART TREASURES OF ITALY
THE DRAGON EMPRESS
TOYS
CAROUSEL

INFLUENCES
PROVENÇALES

La campagne provençale, dans sa féerique splendeur faite de la lumière du soleil, des parfums, du vent, des terres vallonnées, est unique au monde. On ne peut l'imaginer sans y être jamais allé, on ne peut non plus espérer la recréer ailleurs. Le style provençal, en revanche, peut transcender ses sources. Il a en soi un caractère de fête qui ne souffre pas du voyage et offre généreusement ses couleurs, ses tissus, ses meubles, ses ornements à ceux qui sauront les marier à la manière provençale. Et, de fait, il a même traversé l'Atlantique pour s'implanter dans des villes diverses et éloignées et jusqu'aux États-Unis,

où vivent les auteurs. Il est d'ailleurs extrêmement surprenant de constater les mille et une manières dont ces composants provençaux (carreaux de faïence, soupières ou armoires...) sont intégrés aux différents décors. Ainsi quelque part en France ou ailleurs, telle minuscule maison de campagne baignée de soleil, aux meubles, tissus et carreaux de faïence heureusement et simplement assortis, peut exprimer toute la chaleur et le charme de la Provence. Cette autre maison citadine à des centaines ou à des milliers de kilomètres de la Provence, dont la cuisine a pris un air rustique du Midi, semble nier la ville pourtant juste à sa porte. Une autre encore, à la Nouvelle-Orléans, combine plusieurs styles avec tant d'adresse qu'ils semblent avoir la même origine.

Tous ces exemples, parmi tant d'autres, montrent en fait que les amoureux de la Provence, plutôt que de tenter de la recréer dans ses moindres détails, préfèrent en adopter certains qu'ils intègrent à leur propre décor. Le plus fascinant de l'histoire, c'est l'effet produit par ces éléments hors de leur environnement d'origine. C'est avec le même bonheur qu'ils s'accommodent des styles contemporain, oriental ou rustique américain.

Ce chapitre a pour but de montrer combien le style provençal peut s'adapter loin de son pays d'origine. Il sera présenté dans ces maisons, pièce par pièce, où il voisine souvent, comme il a été mentionné dans l'introduction, avec des objets provenant d'autres régions de France. Pour peu que le décorateur ait du goût et de l'imagination, il saura donner charme et originalité à son environnement, de manière toute simple, grâce à ce tissu provençal revêtant un tour de lit d'enfant, par exemple, ou grandiose, avec cette majestueuse armoire rarissime trônant dans une vaste salle de séjour.

Canapé du XIXe siècle, style Louis XV, habillé de tissu provençal, placé entre deux portes-fenêtres à fronton en éventail.

MANNA

SALLES DE SÉJOUR

La salle de séjour est un peu la vitrine de la maison et celles qui sont montrées ici ne dérogent pas à la règle. L'artisanat provençal y apparaît de différentes manières, selon qu'il occupe la place dominante, qu'il entre comme un élément dans un ensemble décoratif éclectique, ou qu'il soit la petite touche, unique et juste, qui parachève le tableau.

Cette maison, construite dans les années vingt, à été décorée en jouant avec le rouge, le blanc et le bleu. A droite de la cheminée, à côté d'un fauteuil bonne femme Louis XVI, couvert de tissu provençal, une table de ferme en bois divers présente une collection d'objets.

Dans le ton, des carreaux de cheminée italiens bleu et blanc sont posés sur le chambranle de la cheminée. Sur la tablette reposent des moutons (sculptures françaises et italiennes).

Sur un petit rebord de fenêtre, une nature morte en rouge, blanc et bleu, répond à la décoration de la pièce.

Dans ce confortable salon, un lit de camp en acier, reconverti en sofa, est habillé d'un éclatant tissu imprimé provençal et agrémenté de coussins multicolores. Les rideaux et la nappe sont assortis au matelas. L'aménagement est complété par deux fauteuils Voltaire du XVIIIe et un tapis de lirettes décorant le parquet.

La salle de séjour de la maison de campagne de Pierre Moulin, dans le Connecticut, aux États-Unis, est caractérisée par un subtil équilibre entre les tissus provençaux et les éléments originaires d'autres provinces : à gauche, chaise normande du XVIIIe, à droite fauteuil de théâtre du XVIIe et, en diagonale afin de rompre la symétrie, bureau normand du XVIIIe siècle.

La Provence et l'exotisme ont trouvé un terrain d'entente harmonieuse dans cet appartement. Les coussins recouverts d'imprimés Souleiado répondent aux couleurs de l'osier, du tapis et de la tenture à dessins en forme d'éventail cousu, autrefois, à la main.

Le fleuron de cette petite salle de séjour, une armoire rustique du XIXe siècle, dont les portes ont été inversées, sert à exposer des objets de collection.

A gauche, magnifique buffet angevin à deux corps en noyer du XVIIIe siècle, placé près d'une paire de cabriolets en bois laqué d'époque Louis XV avec motif de fleurs en ceinture et tapisserie au petit point. Près de la cheminée, cette commode Louis XVI en noyer, d'origine niçoise, est soigneusement conservée. La cheminée est surmontée d'un miroir Régence à cadre doré, sculpté de grappes de raisin (photo ci-dessus).

Cette petite table Directoire conçue pour contenir un pot d'eau fraîche, appelée rafraîchissoir, orne aujourd'hui une salle de séjour en Califorme ouvrant sur la pelouse.

Dans cette grande maison, une armoire normande du XIXe siècle en chêne dont les portes ont été inversées sert de meuble de télévision.

Dans la même salle de séjour, un ancien petit banc fait aujourd'hui office de table à café.

Coin repas dans une petite salle de séjour : table ronde du XIXe utilisée autrefois pour la dégustation des vins en Champagne et chaises pliantes de jardin en fer.

Au premier plan de cette photo, un meuble de maîtrise du XVIIIe siècle, haut de cinquante centimètres à peine. La grande horloge, au fond, est une Saint-Nicolas fabriquée au XVIIIe siècle en Normandie.

Dans cette salle de séjour, une magnifique et rarissime armoire provençale du XVIIIe siècle règne sur des tissus et des accessoires orientaux.

Sous la corniche de cette armoire, une sculpture peu courante, inspirée d'une fable de La Fontaine : *Le Renard et la Cigogne*.

SALLES À MANGER

La Provence occupe une place importante dans ces pièces très diverses, où elle voisine avec d'autres styles. Dans certains cas, ce sont les murs, tapissés de papier fleuri, d'une pièce inondée de soleil qui créent l'atmosphère rustique et mettent les meubles en valeur. Dans d'autres, c'est l'œuvre du mobilier lui-même. La décoration d'une pièce peut s'achever en point d'orgue par la simple présence d'une soupière régionale.

A gauche, table ronde champenoise du XIXe siècle entourée de quatre chaises Louis XVI dans cette salle à manger très féminine.

La photo ci-dessus montre une salle à manger tout à fait exceptionnelle : les poutres apparentes font un accord parfait avec l'immense table conventuelle du XVIIe siècle, en chêne, entourée de chaises provençales du XIXe siècle finissant. Un buffet à deux corps du XVIIIe siècle, en chêne, fabriqué en Ile-de-France, se dresse au fond de la pièce. Contre le mur, entre les fenêtres, un radassié du XVIIIe siècle (photo de gauche) dont les coussins sont habillés d'une authentique indienne du XVIIIe, imprimée à la main.

La desserte d'Ille-et-Vilaine, ci-dessus, s'intègre parfaitement au style contemporain de cette salle à manger de résidence secondaire.

Le dressoir du XIXe siècle provenant d'Ille-et-Vilaine (photo de gauche) confère un certain charme provincial à cette salle à manger citadine.

Opposition rustique-avant-garde : une commode provençale du XVIIIe siècle, encadrée de deux chaises cannées originaires de Prague, a été placée sous une œuvre du sculpteur américain Herbert Creecy.

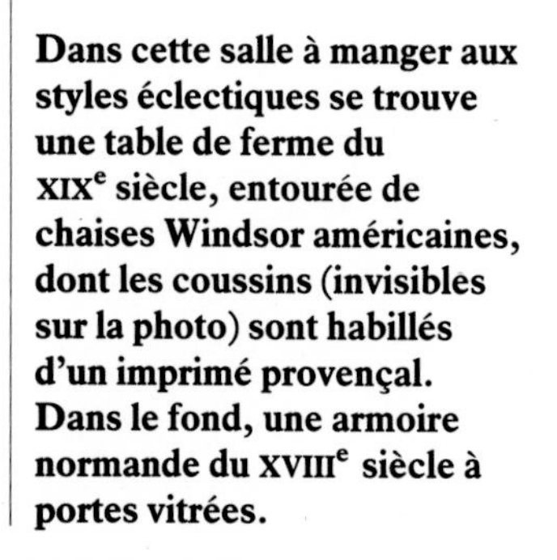

Dans cette salle à manger aux styles éclectiques se trouve une table de ferme du XIXe siècle, entourée de chaises Windsor américaines, dont les coussins (invisibles sur la photo) sont habillés d'un imprimé provençal. Dans le fond, une armoire normande du XVIIIe siècle à portes vitrées.

La salle à manger de Pierre Moulin est entièrement rustique : plafond à poutres apparentes, buffet provençal du XVIIIe siècle en noyer (contre le mur de droite), chaises paillées du début du XIXe siècle et dressoir fabriqué en Ille-et-Vilaine au XIXe. Fenêtres, chaises et table sont habillées de coton imprimé provençal.

Dans cette petite salle à manger, règne une atmosphère romantique créée par le paravent peint à la main (en 1829) et le buffet bleu et blanc du XVIIIe siècle originaire d'Ile-de-France.

Trois soupières de Lunéville (XVIIIe siècle) ajoutent grâce et élégance à cette véranda moderne faisant office de salle à manger, dans une grande propriété campagnarde.

CHAMBRES

Son aspect romantique et le confort qu'il procure destinent tout particulièrement le style provençal à la décoration des chambres. De délicats rideaux de dentelle, des jetés de lit en coton de couleurs vives, et des armoires, coffres et chaises en bois massif à la patine luisante créent un ensemble chaleureux, diffusant une sensation de bien-être.

La chambre du bébé, à droite, est presque entièrement décorée de tissus et papiers peints Souleiado. Sa maman, décoratrice, est littéralement amoureuse des imprimés provençaux. Le tour de lit, destiné à protéger l'enfant, a été habillé d'un large galon créé également par l'entreprise tarasconnaise. Le patchwork américain fixé au mur s'harmonise parfaitement avec les motifs provençaux.

Chambre féminine en bleu et blanc : le lit avec ciel en tissu Brunschwig (ci-dessus) est couvert d'un délicat édredon brodé de jours avec taies d'oreiller assorties. Sous la grande glace, un buffet en merisier du XVIIIe siècle originaire des Hautes-Alpes (photo de gauche) sert de commode.

Ci-dessous, ces rideaux de dentelle ont été faits à la main dans le Nord de la Provence, en 1880.

Dans cette chambre romantique, une table basculante du XIXe, d'origine champenoise, a été placée à droite du lit ; les taies d'oreiller à fleurs et la couverture sont signées Porthault.

Dans cette chambre fraîche et claire, des imprimés provençaux habillent la banquette et les coussins assortis, ainsi que le lit à baldaquin (photo ci-dessus).

A droite, une petite armoire rustique en cerisier réchauffe le décor sobre et masculin, aux quelques accents orientaux, de cette chambre couleur mastic.

Quelques poupées de collection sont assises sur une bergère à oreillettes Louis XVI en bois naturel dans la chambre ci-dessus. Sur la table à écrire provençale du XVIIIe siècle se trouve, entre autres objets, un petit meuble de maîtrise. Un autre, plus grand, est posé sous la table.

Authentique toile de Jouy pour ce fauteuil bonne femme du XVIIIe siècle placé à côté d'une table de nuit de la même époque (photo de gauche).

Fauteuil Directoire et commode Louis XVI en noyer, et, sur le sol, un tapis chinois bleu et blanc font ici bon ménage (à gauche).

Le petit vestibule, décoré d'une armoirette du XIXe siècle fabriquée en Anjou, conduit à la chambre où le lit Empire est couvert d'un patchwork américain (ci-dessous).

Ci-dessus, dans une chambre campagnarde, les murs sont tapissés de tissu provençal bleu et blanc, des coussins assortis se détachent sur le blanc du couvre-lit, un fauteuil provençal Restauration est posé devant le bureau. A droite de ce dernier, un coffre d'Ille-et-Vilaine du XVIIIe siècle.

Des rideaux de dentelle cousus à des anneaux de bois et une armoire rustique du XIXe siècle (invisible sur la photo) donnent un petit air provençal à la chambre ci-dessous.

CUISINES

La cuisine, cœur de la maison et de la famille, est peut-être l'endroit qui s'harmonise le plus avec la chaleur et le charme bon enfant du style provençal. De la cuisine du petit appartement parisien à celle de la grande propriété provinciale ou de la ferme, quelques éléments typiques suffisent à créer une atmosphère particulière, originale et sympathique, fleurant bon la Provence.

Il émane de cette cuisine un parfum délicatement provincial, dont les invités peuvent profiter grâce aux portes pliantes qui séparent la cuisine de la salle à manger. Le premier étage de la maison est entièrement dallé de carreaux de terre cuite (photo ci-dessus).

Des ustensiles de cuisine typiques sont suspendus au-dessus du plan de travail central : casseroles et pots de cuivre, corbeilles en osier… et une tresse d'ail ! (photo de droite).

Dans cet ancien office on trouve aujourd'hui une table de monastère Directoire placée sous un buffet à porte vitrée, avec une horloge de Bresse encastrée. Le pavement, très ancien, est fait d'hexagones de terre cuite importés de Provence.

Cette bonnetière du XVIIIe siècle en noyer règne dans la petite cuisine ci-dessous.

Dans la partie véranda de la cuisine, à gauche, on a installé une table provençale à abattants du XIXe siècle. Les coussins des chaises rustiques sont en imprimé provençal de même que les abat-jour du lustre.

Intéressant d'un point de vue esthétique, et pratique, ce billot de boucher s'intègre parfaitement à la cuisine toute de bois d'essences diverses ci-dessus.

Porte-cuillères rustique suspendu, tel un mobile, au centre de la cuisine ci-dessous.

Douze invités peuvent prendre place autour de cette longue table du XIXe siècle en arbre fruitier, sur des chaises de la même époque (photo de gauche).

Contre le mur gris pâle, cette table de bistrot à plateau de marbre du début du XIXe siècle ne manque pas d'élégance dans la petite cuisine de Pierre Moulin, à Paris (photo de gauche). Au-dessus de la cuisinière et de l'évier, des carreaux de faïence Saint-Germain à motifs révolutionnaires (ci-dessus).

Posées sur les placards, ces jarres en terre cuite du XIXe siècle viennent de Dordogne.

Un garde-manger breton du XVIIIe siècle a trouvé sa place dans un recoin de la cuisine. Le propriétaire fabrique lui-même son vinaigre dans les deux tonnelets, découverts au marché aux puces, et le conserve dans les deux grosses bouteilles posées sur le garde-manger (photo de droite).

Table de jardin dressée pour un dîner à la fraîche dans la cour : nappe signée Pierre Frey, à éclatant motif floral, assiettes creuses à motif montgolfière de l'Atelier de Ségriès (Moustiers) et assiettes plates portugaises en étain. Les verres à pied sont une création Simon Pearce.

DÉCORS DE TABLES

Faïences, nappes et verres peuvent donner une allure pimpante à une table toute simple. Les exemples fournis dans les pages suivantes le prouvent : tables de fête, chargées des mets et des vins les plus fins, de petits déjeuners croissants-café crème ou de dîners en famille prennent, grâce à la présence du linge de table provençal, un charme qui confère aux mets une saveur plus subtile.

Table à plateau de marbre du XIXe siècle flanquée de deux chaises de parc et dressée pour un buffet : sets de table en tissu provençal, verres de Simon Pearce et soupière en étain du XVIIIe siècle.

À des milliers de kilomètres de la Provence, sur un balcon, dans le quartier français de la Nouvelle-Orléans, le petit déjeuner est servi sur une table ronde nappée par Souleiado (modèle Baumanière). La faïence rose et blanc est de Moustiers et les verres ont été créés par Simon Pearce.

La longue table de cuisine est dressée pour un souper à quatre : faïence de Gien sur sets de table en coton provençal. La soupière est posée sur un scourtin (filtre à huile d'olive en chanvre tressé). Les verres et la carafe de cristal datent du XIXe siècle.

Dressée pour un banquet, cette longue table (à droite) a été nappée de coton provençal rouge, blanc et bleu.

La faïence, création de Saint-Germain, porte des motifs révolutionnaires (détail ci-dessous). Les fleurs et les bougies reprennent le thème bleu, blanc, rouge.

Dans une petite maison en bordure du bois, le couvert est mis pour fêter Noël (à gauche) : nappe et serviettes de table sont des créations Souleiado jouant avec le vert, le rouge et le blanc, les assiettes de faïence arborent un nouveau motif (les danseurs chinois) de l'Atelier de Ségriès, à Moustiers. Les verres sont en cristal de Sèvres avec un pied en étain, et deux santons marquent la place de chaque invité.

TOUCHES ORIGINALES

Niches, coins et recoins sont des endroits tout indiqués pour placer l'accessoire d'époque qui donnera à la pièce son caractère original. De même, un trésor régional unique — une soupière du XVIIIe par exemple, ou un buffet du XIXe — seront mis en valeur par contraste, dans un environnement inhabituel qui leur servira d'écrin. Les photographies suivantes montrent plusieurs effets de décoration dans ce genre.

A gauche, coin téléphone dans le vestibule de cette propriété : table de nuit en noyer du XIXe et fauteuil bonne femme du XVIIIe siècle.

Ce buffet-vaisselier en chêne (XIXe siècle) a été transformé par ses propriétaires en un bar plutôt original : pour ce faire, ils l'ont diminué de moitié en profondeur.

Cette commode du XVIIIe siècle (ci-dessous), originaire d'Ile-de-France, fait partie intégrante d'une belle collection d'antiquités rassemblées dans une salle de séjour raffinée.

Vue de l'entrée : une chaise ponteuse Directoire en acier.

Une petite table provençale Louis XV, couleur feuille morte, est particulièrement mise en valeur dans cet élégant vestibule.

Dans le même appartement, cette petite table provençale du XVIIIe siècle, peinte en croisillons, fait aujourd'hui un bien joli coin téléphone (ci-dessus).

Heurtoir en fonte du XIXe siècle sur la porte de bois d'une maison citadine.

Une banquette provençale peinte en blanc, et les fauteuils bonne femme assortis, décorent cette grande pièce. A noter la collection de poules en tout genre, et les remarquables glaces de café qui ornent les murs.

Ce petit balcon donnant sur la mer prend un petit air provençal avec sa table de jardin et ses chaises pliantes peintes en vert pour s'accorder avec les plantes en pots.

Cette poupée portant des vêtements Souleiado est assise sur une reproduction exacte de chaise à gerbe Louis XVI (à droite). Sur le balcon, un imprimé provençal ravive le bois du fauteuil de jardin en séquoia sculpté.

Sur la véranda d'une maison de l'ouest des États-Unis, le fauteuil bonne femme en pur style fleuri d'Arles du XVIIIe siècle invite au repos.

Fabriquées en Arles au XVIIIe siècle, cette table provençale et l'étagère vitrée (à gauche) ornent un vestibule. La soupière est une faïence du XVIIIe siècle originaire de Marseille.

Sur le rebord de cette fenêtre, les lignes gracieuses d'un bronze Art Déco répondent à celles d'un fauteuil Louis XVI en bois naturel habillé par Knoll (ci-dessous).

Cette table de boucher du XIXe siècle, au piétement en fer forgé et cuivre jaune, à droite, sert aujourd'hui de bar dans l'atrium dallé de tommettes d'une vaste maison.

L'imprimé provençal de ce gros fauteuil s'accorde avec celui du store.

Alliant l'élégance du moderne au charme du provincial, un fauteuil de Breuer a été rapproché d'un fourneau alsacien en céramique du XIXe siècle.

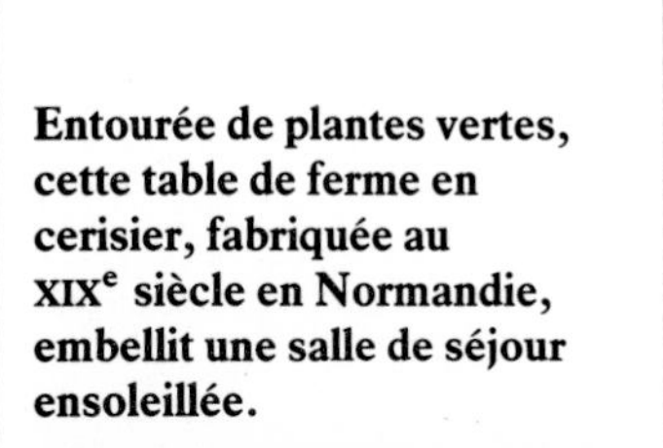

Entourée de plantes vertes, cette table de ferme en cerisier, fabriquée au XIXe siècle en Normandie, embellit une salle de séjour ensoleillée.

RÉPERTOIRE

Vous possédez une maison en Provence ou vous souhaitez, tout simplement, donner à votre intérieur un peu de la chaleur du style provençal ? Ce petit répertoire, qui ne prétend en aucun cas être exhaustif, vous permettra de retrouver, en Provence mais aussi à Paris ou en province, quelques-uns des éléments décoratifs présentés dans cet ouvrage ainsi que certains des meubles, tissus, faïences, verreries..., fruits du génie provençal d'hier et d'aujourd'hui.

Vous y trouverez aussi une liste de pépiniéristes et paysagistes qui vous donneront d'utiles conseils pour mettre en valeur votre jardin.

Nous vous signalons également certaines des manifestations, foires ou expositions, à ne pas manquer dans la région ainsi que quelques bonnes adresses évoquées au fil des pages de cet ouvrage.

Enfin, le lecteur désireux d'en savoir plus sur la Provence, sa terre et ses hommes, pourra se référer à la liste des livres parus sur ce sujet chez le même éditeur.

Vase de forme Médicis, de dimension très importante (1,38 m de hauteur), à décor de faunes, de béliers et de guirlandes. Terre cuite du XVIIIe siècle. (Michel Galabert Antiquités, 2, rue des Saints-Pères, 75007 Paris.)

ANTIQUITÉS

Vous trouverez la liste complète des antiquaires, par région et par spécialité, dans le Guide Emer (disponible en librairie ou directement à l'adresse suivante : Guide Emer, 50, rue de l'Hôtel-de-Ville, 75004 Paris). Néanmoins, voici le nom et l'adresse de quelques-uns d'entre eux, plus spécialisés dans les meubles provençaux. Vous les trouverez par ordre alphabétique de ville.

EN PROVENCE

J.-F. HERMANOVITS
33, bd du Roi-René et Hôtel du Poêt, Cours Mirabeau,
13100 Aix-en-Provence

MICHELETTI
Faïences anciennes.
Pavillon des Fourches au Pont-de-Crau.
13200 Arles.
Tél. : 90.96.49.55

HERVÉ BAUME
Spécialisé surtout dans le XIXe siècle : meubles en bambou, grands pots d'Anduze, faïences d'Uzès. Créations : photophores et objets de décoration (mobilier de jardin, bacs à plantes).
17, rue de la Petite-Fusterie,
84000 Avignon.
Tél. : 90.86.37.66.

19 TER
BERNARD PAUL
Antiquaire. Objets provençaux et Arts Déco
19 ter, rue de la Petite-Fusterie
84000 Avignon
Tél. : 90.86.80.94.

ANDRÉ PAUDIRIS
Meubles précieux en marqueterie, meubles en bois naturel des XVIe, XVIIe et XVIIIe.
Rue du Marais,
83570 Cotignac.
Tél. : 94.04.61.17.

MAISON DE LA TOUR
PASCAL NAVARRO
Meubles provençaux Haute Époque, XVIIIe, statues, tapisseries (voir page 111).
13990 Fontvieille.
Tél. : 90.97.70.32.

PIERRE ALAZARINE
Façades murales, boiseries, jarres.
Les Imberts,
84220 Gordes.
Tél. : 90.71.91.83.

KARINE MESUREUR
Spécialité de meubles en rotin style 1900.
Route de Cavaillon,
84220 Gordes.
Tél. : 90.72.06.06.

LE MAS DE CUREBOURG
HÉLÈNE DEGRUGILLIER
(voir pages 54, 95). Meubles provençaux, couvertures provençales anciennes (voir pages 27 et 28), banquettes paillées. Objets divers (voir page 121).
RN 100 Lagnes,
84800 L'Isle-sur-la-Sorgue.
Tél. : 90.20.37.96. ou 90.20.30.06.

VINCENT MIT L'ANE
JEAN-JACQUES BOURGEOIS
Sièges provençaux du XVIIIe siècle, meubles peints. Décoration : création de meubles de jardin, volières, photophores.
Route d'Apt,
84800 L'Isle-sur-la-Sorgue.
Tél. : 90.38.07.37.

THIERRY ROCHE
GALERIE 1900-1930.
Meubles et objets de décoration, Art Nouveau, Art Déco.
7, avenue des 4-Otages,
84800 L'Isle-sur-la-Sorgue.
Tél. : 90.38.25.79.

VILLAGE DES ANTIQUAIRES
M. ET MME NICOD,
près de la gare.
Meubles anciens en pin, objets de décoration, lampes.
34800 L'Isle-sur-la-Sorgue
Tél. : 90.38.04.57 ou 90.38.20.38.

Aix-en-Provence, porte, 3, rue des Epinaux. (Extrait de « La Provence » par Michelle Goby. Éditions Arthaud.)

JEAN-PIERRE ARTAUD
19, rue Augustin-Fabre,
13006 Marseille.
Tél. : 91.47.40.62.

JEAN-JACQUES BACCIOCHI
Mobilier Renaissance et de la Haute-Époque.
24, rue Sylvabelle,
13006 Marseille.
Tél. : 91.37.56.31.

MAURICE MOUISSON
Mas de la Monaque,
13520 Maussane-les-Alpilles.
Tél. : 90.47.52.74.

LES BOUTIQUES DU MOULIN
DENISE VERGÉ
Objets de charme fin XIXe.
Deux boutiques près des restaurants L'Amandier et Le Moulin de Mougins.
06250 Mougins.

L'ANTIQUAIRE DU PARADOU
MADELEINE FERRAGUT ET NICOLE BARRA
Haute Époque, XVIIe, curiosités
(voir page 33).
13520 Le Paradou.
Tél. : 90.54.32.33.

LE MAS SAINT-ROCH
Meubles d'époque (XVIe au XIXe siècle), bibelots anciens, décors de jardins.
13125 Le Paradou.
Tél. : 90.97.31.23.

LE TROUBADOUR
Objets provençaux et barbotines
73, rue Gambetta,
30800 Saint-Gilles.

EBENE
PHILIPPE ECKERT
38, boulevard Victor-Hugo,
13210 Saint-Rémy-de-Provence.

GIRALDI-DELMAS
8, cours Aristide-Briand,
13150 Tarascon.
Tél. : 90.91.05.80.

A PARIS

L'AUTRE JOUR
Boutique axée sur le thème de la Provence et tenue par une Provençale. Meubles, tissus, vaisselle, faïences..., etc.
26, avenue de la Bourdonnais,
75007 Paris.
Tél. : 47.05.36.60.

MARCHAND D'OUBLI
BOUTIQUE N° 19
Village Suisse,
78, avenue de Suffren,
75015 Paris.
Tél. : 43.06.84.41.

COMMISSAIRES-PRISEURS

Vous trouverez ici une liste des commissaires-priseurs les plus actifs en Provence, auprès desquels il est possible d'obtenir toute information sur les ventes qui ont lieu, en général, le week-end.

MAÎTRE HOURS
Chemin de la Vierge Noire,
13100 Aix-en-Provence.
Tél. : 42.64.02.37.

MAÎTRE HOLZ
26, rue Jean-Le-Bas,
13200 Arles
Tél. : 90.49.84.70.

MAÎTRE GAMET
22, avenue Jeanne-d'Arc,
13400 Aubagne.
Tél. : 42.03.80.36.

MAÎTRES GERMAIN ET DESAMAIS
74, rue Guillaume-Puy,
84000 Avignon.
Tél. : 90.86.35.35.

MAÎTRE BAUSSY
69, rue Félix-Faure,
06400 Cannes.
Tél. : 93.39.01.35.

MAÎTRES MANON-GAIROARD, APPAY ET GAIROARD
20, rue Jean-Jaurès,
06400 Cannes.
Tél. : 93.38.41.47.

MAÎTRE CHARBIT
Passage de l'Industrie,
83300 Draguignan.
Tél. : 94.68.19.17.

MAÎTRE DIANOUS
Route de la Durance,
04100 Manosque.
Tél. : 92.87.62.69.

MAÎTRE CLAVEL
102, avenue Jules-Cantini,
13008 Marseille.
Tél. : 91.78.33.57.

MAÎTRES D'HAUTIER DE SISGAW ET CHARRIAUD
19, rue Borde,
13008 Marseille.
Tél. : 91.79.46.30.

MAÎTRES RAYMOND ET TABUTIN
102, avenue Jules-Cantini,
13008 Marseille.
Tél. : 91.79.81.20.

MAÎTRES F. ET T. COURCHET, PALLOC, C. ET S. JAPHET
3, rue Provana,
06000 Nice.
Tél. : 93.62.14.82.

MAÎTRE REYMONENCQ-FUSADE
11 bis, rue de Perfinax,
06000 Nice.
Tél. : 93.62.14.71.

MAÎTRES BOURCIER, MAUNIER, COURET, LAURE
54, boulevard Georges-Clemenceau,
83000 Toulon.
Tél. : 94.92.62.86.

DÉCORATION

DICK DUMAS
(voir pages 159 à 171).
40, rue des Saints-Pères,
75007 Paris.
Tél. : 42.22.98.93.
Également en Provence à Oppède-le-Vieux dans le Lubéron, où Dick Dumas vient de s'installer après avoir quitté

la maison qu'il avait restaurée aux Imberts.
Tél. : 90.76.97.37.

JEAN DIVE
GALERIE MAISON ET JARDIN
(voir page 5).
38, rue de Courcelles,
75008 Paris.
Tél. : 42.25.93.50.

FOIRES ET EXPOSITIONS

On ne peut parler de la Provence sans citer quelques-unes des nombreuses manifestations dont elle est le siège. Il n'est bien entendu pas question d'en donner ici la liste complète (vous obtiendrez une information détaillée sur place auprès du Syndicat d'Initiative), mais de signaler certains des Salons et Foires les plus intéressants consacrés aux antiquités et à la brocante.

FOIRES AUX SANTONS

AIX-EN-PROVENCE : décembre.

AUBAGNE : exposition de céramiques et de santons. Mi-juillet à début septembre.

MARSEILLE : novembre à début janvier.

MARTIGUES : novembre.

ANTIQUITÉS-BROCANTE

AIX-EN-PROVENCE : Salon des antiquaires en octobre (1re ou 2e quinzaine selon les années).

ANTIBES : Salon des antiquaires des Rameaux à Pâques.

ARLES : Salon des antiquaires du pays d'Arles : dernière semaine d'octobre et fête de la Toussaint.
Salon des antiquités et de la brocante : dernière semaine de septembre (de week-end à week-end).

AUBAGNE : chaque dernier dimanche du mois.

AVIGNON : Foires à la brocante. Allée de l'Oulle.
Fin mai et fin août.

CHÂTEAUNEUF-LÈS-MARTIGUES : 1er dimanche de septembre.

L'ISLE-SUR-LA-SORGUE : Foire à la brocante. Pâques et 15 août.

MARSEILLE : (antiquités et haute joaillerie). Parc Chanot en 1987, du 17 au 25 décembre.

MARIGNANE : 5 octobre.

MARTIGUES : (brocante et antiquités) : 28 novembre au 1er décembre.

MEYNARGUES : fin mai, début juin.

NÎMES : Salon des antiquaires et des brocanteurs. Parc des Expositions. Début décembre. Journées nationales de la brocante. Parc des Expositions, mars.

SORGUES : chaque année, en 86 : 11-12-13 octobre.

PONT-SAINT-ESPRIT : Foire aux antiquités et à la brocante, place Saint-Pierre. Début juillet. Salon des antiquités, salle des fêtes. Vers le 11

Pot d'Anduze. Vase traditionnel fabriqué par une entreprise familiale qui a plus de trois siècles d'existence.

Coupe et gobelets à sangria et louche. (Verreries de Biot.)

SAINT-TROPEZ : Salon des antiquaires, place des Lices. Fin août, début septembre.

VILLENEUVE-LÈS-AVIGNON : Salon des antiquités de la Chartreuse du Val de Bénédiction. 1re quinzaine de septembre.

FOIRE DES TILLEULS

(voir page 23)
Premier mercredi de juillet. Buis-les-Baronnies est le principal marché européen du tilleul et fournit 85 % de la production nationale.

FAÏENCE ET POTERIE

Certains des ateliers suivants sont typiquement provençaux. Les autres ont une production plus variée.

POTERIE D'ANDUZE
(voir pages 191 et 194).
Production artisanale du vase d'Anduze traditionnel.
Les Enfants de Boisset,
30140 Anduze.
Tél. : 66.61.80.86.

JEAN FAUCON
ATELIER BERNARD
(voir pages 44 à 50).
12, avenue de la Libération,
84400 Apt.
Tél. : 90.74.51.04.

POTERIE DE HAUTE-PROVENCE
Faïence blanche décorée main d'inspiration provençale.
Route de Nyons,
26220 Dieulefit.
Tél. : 75.46.42.10.

ATELIER KRAUSE
Poterie de grès : pièces uniques et utilitaires.
Le Pontet, Goult,
84220 Gordes.
Tél. : 90.72.31.09.

PIERRE VINCENT
Articles de faïence décorative (cache-pot, porte-parapluies, vases, lampes...).
CD 190 Molières-Cavaillac,
30120 Le Vigan.
Tél. : 67.81.14.01.

N. ET O. SOURDIVE
Production traditionnelle d'objets en terre vermosée, poteries pour les jardins, pichets...
Cliousclat, 26270 Loriol.
Tél. : 75.63.07.09.

UNION DES FAÏENCIERS DE MOUSTIERS
Présidée par Jacques Allier. Regroupe la plupart des ateliers de Moustiers produisant des pièces de haut de gamme et respectant des règles précises en matière de fabrication (décoration à la main...).
04360 Moustiers.
Tél. : 92.74.66.41.

ATELIER DE SEGRIÈS
Dirigé par Mme Tonia Peyrot (voir pages 40 et suivantes).
04360 Moustiers-Sainte-Marie.
Tél. : 92.74.66.69.
Autre point de vente :
31, rue de Tournon,
75006 Paris.
Tél. : 46.34.62.56.

SIMONNE FAVIER
Céramiste, Grand prix départemental des métiers d'art. Renoue la chaîne des anciens faïenciers de Moustiers.
Vieux couvent des Capucins, route de Moustiers,
04500 Riez.
Tél. : 92.74.50.29.

JEAN-PAUL PICHON
(voir page 142).
Fabricant de faïences, exclusivement distribuées par Souleiado.
41, avenue Jean-Jaurès,
30700 Uzès.
Tél. : 66.22.11.86.

À PARIS

HÉLÈNE FOURNIER-GUÉRIN
Faïences anciennes (XVIIIe siècle) du Midi (Moustiers notamment).
25, rue des Saints-Pères,
75006 Paris.
Tél. : 42.60.21.81.

MUSÉE DES ARTS DÉCORATIFS
107, rue de Rivoli, 75001 Paris.
La boutique du Musée des arts décoratifs vend des rééditions exclusives de pièces conservées dans les collections du Musée ; entre autres un service de table « Marseille » d'après un modèle fin XVIIe ou début XVIIIe, décor La Veuve Perrin, peint à la main, réalisé par Géo Martel.

LUCIEN VIGNEAU
Faïences et porcelaines anciennes et notamment de Moustiers et de Marseille.
2, rue des Saints-Pères,
75007 Paris.
Tél. : 42.60.79.27.

LA TUILE À LOUP
Artisanat traditionnel des provinces de France : poterie, céramiques, vannerie, textiles...
5, rue Daubenton,
75005 Paris.
Tél. : 47.07.28.90.

VERRERIES

Depuis plus d'un quart de siècle, les verres de Biot ornent les tables provençales rustiques. La verrerie de Biot crée également des coupes, vases, photophores, etc.

VERRERIE DE BIOT
(voir page 4).
Dans la tradition des anciens maîtres verriers, ces artisans ont redécouvert la matière si particulière du verre bullé, de couleurs vives ou délicates.
Chemin des Combes,
06410 Biot.
Tél. : 93.65.03.00.
On peut se procurer la verrerie de Biot dans de nombreuses boutiques en France, en Suisse et en Belgique.
Écrire à Biot pour les adresses.

TISSUS, TAPIS, TAPISSERIES

Outre Souleiado et Les Olivades qui sont spécialisés dans la fabrication de tissus typiquement provençaux, et perpétuent ainsi la tradition de l'impression d'« indiennes », voici les adresses de quelques-uns des créateurs de tissus les plus connus dont les créations conviennent bien à une maison au soleil.

EN PROVENCE

SOULEIADO
(voir pages 26 et suivantes).
39, rue Proudhon,
13150 Tarascon.
Tél. : 90.91.08.80.
Points de vente en France :
Arles, Avignon, Cannes, Lille, Lyon, Marseille, Montpellier, Paris (adresse plus loin), Saint-Tropez, Saintes-Maries-de-la-Mer...
Vente également en Suisse et en Belgique (s'adresser à Tarascon pour les adresses).

LES OLIVADES
(voir page 26).
« Les Olivades », ce sont les poèmes rassemblés par Frédéric Mistral à la fin de sa vie. Sous cette marque est commercialisée une collection de dessins exclusifs créés spécialement par la styliste Paule Boudin. Ces tissus chantent la Provence et ses couleurs, suivant les conceptions d'un art et d'une civilisation séculaires.
La maison mère est avenue Barberin, 13150 Saint-Étienne-du-Grès.
Tél. : 90.49.16.68.
Points de vente en France :
Avignon, Aix, Arles, Les Baux, Biot, Gordes, Marseille, Montpellier, Nice, Paris (adresse plus loin), Saint-Paul-de-Vence, Saint-Rémy, Saintes-Maries-de-la-Mer...
Également vente en Suisse et en Belgique.

Tapis de Cogolin en laine blanche (voir page 262).

VAL DRÔME
(voir page 26).
Confection d'articles-cadeaux en tissu provençal.
135, avenue de Romans,
26000 Valence.
Tél. : 75.43.35.05.

DANIÈLE DROUIN
Tapisseries contemporaines, ex-licier des Gobelins.
Route de Sénanque,
84220 Gordes.
Tél. : 90.72.00.45.

MANUFACTURE DE TAPIS DE COGOLIN
Tapis classiques ou modernes, de laine le plus souvent blanche, entièrement fabriqués à la main, sur commande dans les dimensions et les coloris choisis.
Boulevard Louis-Blanc,
83310 Cogolin.
Tél. : 94.54.66.17.

EN PROVINCE

MANUFACTURE D'IMPRESSION SUR ÉTOFFES
Tissus d'ameublement haut de gamme, reproduction de tissus anciens ; tissus alsaciens, tissus folkloriques, linge de table.
19, route de Saintes-Maries-aux-Mines,
68150 Ribeauvillé.
Tél. : 89.73.74.74.

À PARIS

FORUM DE LA CHAMBRE SYNDICALE DES TEXTILES D'AMEUBLEMENT (CSTA)
Dans la salle d'exposition, véritable tissuthèque où sont présentés quelque 3 000 tissus parmi les dernières créations des éditeurs-créateurs adhérant à la CSTA, vous pourrez trouver conseils, idées et opérer un premier choix.
95, avenue de la Bourdonnais,
75007 Paris.

LES OLIVADES
Tissus distribués par L'Herbier de Provence et Noir d'Ivoire (adresses ci-dessous).

L'HERBIER DE PROVENCE
25, rue de l'Annonciation,
75016 Paris.
Tél. : 45.27.07.76.

Pichet en faïence de Moustiers.

NOIR D'IVOIRE
Distribution des tissus Les Olivades, décoration intérieure, mais aussi, terres cuites, céramiques...
22, rue de Verneuil,
75007 Paris.
Tél. : 42.86.99.11.

SOULEIADO
78, rue de Seine,
75006 Paris.
83, avenue Paul-Doumer,
75116 Paris.

Les créateurs de tissus dont seuls quelques-uns parmi les plus connus sont cités vous ouvrent leurs salles d'exposition où des animateurs qualifiés vous présenteront des panneaux de coordonnés regroupant pour chaque couleur les unis, les rayures, les imprimés qui s'harmonisent soit en camaïeu, soit en opposition.

MANUEL CANOVAS
5, place de Furstenberg,
75006 Paris.
Tél. : 45.55.92.45.

ÉTAMINE
49, quai des Grands-Augustins,
75006 Paris.
Tél. : 46.34.01.74.

NOBILIS - SUZANNE FONTAN
38, rue Bonaparte,
75006 Paris.
Tél. : 43.29.21.50.

PIERRE FREY
47, rue des Petits-Champs,
75001 Paris.
Tél. : 42.97.44.00.

ROMANEX DE BOUSSAC
27, rue du Mail,
75002 Paris.
Tél. : 42.33.46.88.

LES TISSUS CASAL
40, rue des Saints-Pères,
75007 Paris.
Tél. : 45.44.78.70.

CÉRAMIQUES, CARRELAGES, MATÉRIAUX DE CONSTRUCTION ET DE RÉCUPÉRATION

Salernes, dans le Var, est la capitale de la célèbre tomette provençale. Vous y trouverez de nombreux fabricants que nous ne pouvons citer ici de façon exhaustive.

ALAIN VAGH
Carrelages et céramiques
Route d'Entrecasteaux,
83690 Salernes.
Tél. : 94.70.61.85.

TERRES CUITES DES LAUNES
83690 Salernes.
Tél. : 94.70.62.72.

HENRI ET JEAN CHABAUD
Matériaux anciens.
Z.I. Route Gargas,
84400 Apt.
Tél. : 90.74.07.61.

FRANÇOIS VERNIN
Carreaux d'Apt (voir page 145). Carreaux multicolores et émaillés.
Le Pont Julien RN 100,
84400 Bonnieux.
Tél. : 90.74.16.80.
Autre point de vente : 13210, Saint-Rémy-de-Provence.

SERRES FRÈRES S.A.
Travail de la pierre de taille.
Carrière « La Menerbienne »,
84220 Saint-Pantaléon.
Tél. : 90.72.23.16.

TRAVAIL DU BOIS

Là encore, nous ne citerons que trois artisans, parmi tant d'autres, trop nombreux pour être tous mentionnés.

ALBERT DOURSIN
Ébéniste, fabricant de vaisseliers, coffres garde-manger, panetières... inspirés des styles traditionnels.
9, rue Armand-de-Pontmartin,
84000 Avignon.
Tél. : 90.82.11.35.

SERGE MOLINIER
Charpentier.
04100 Manosque.
Tél. : 92.72.15.88.

JEAN GRANIER
Sculpteur-graveur sur bois, mais aussi sur pierre (voir page 112) et sur bronze.
B.P. 12, 13025 Le Paradou.
Tél. : 90.97.34.77.

RIDEAUX DE BUIS

M. DARASSE
Seul artisan à fabriquer des rideaux en olives de buis naturel. Travaille sur commande aux mesures du client.
78, avenue Gabriel-Péri,
30400 Villeneuve-lès-Avignon.
Tél. : 90.25.40.23.

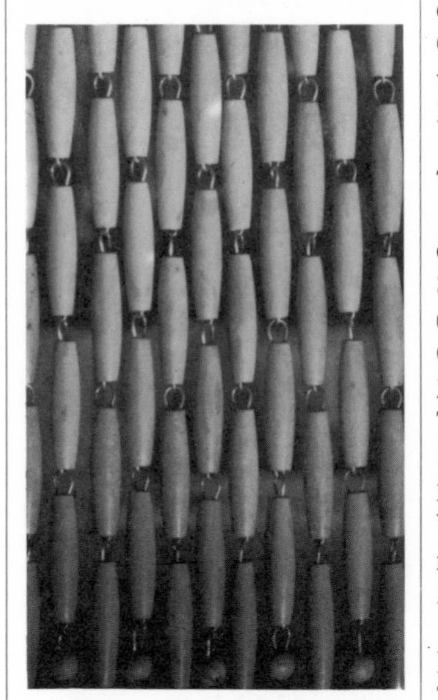

Rideau en olives de buis de M. Darasse.

VANNERIE

Les vanniers sont très nombreux en Provence, il est donc inutile d'en donner une longue liste : seules quelques adresses sont données à titre indicatif.
Pour la province, outre l'adresse d'un fabricant de scourtins, on trouvera celles de deux coopératives spécialisées dans la vannerie dont l'une se trouve en Indre-et-Loire et l'autre en Haute-Marne, dans la région de Fayl-Billot.

SOCIÉTÉ COOPÉRATIVE AGRICOLE DE VANNERIE
Vanneries traditionnelles françaises, corbeilles de toutes formes pouvant, entre autres, servir d'éléments de rangement (voir page 135)...
Villaines-les-Rochers,
37190 Azay-le-Rideau.
Tél. : 47.45.43.03.

VANNERIE BUSSIEROISE
Coopérative artisanale où l'on trouve corbeilles, malles, paniers, jarres, coffres, fauteuils, tables...
Bussières-les-Belmont,
52500 Fayl-la-Forêt.
Tél. : 25.88.62.75.

COMPTOIR FRANCE-INDOCHINE
Grand choix d'objets en vannerie et meubles en rotin.
32, boulevard Bouès,
13003 Marseille.
Tél. : 91.50.17.78.

GEORGES FERT
Spécialisé dans les scourtins (voir page 117).
Quartier de la Maladrerie,
26110 Nyons.
Tél. : 75.26.06.52.

LA FABRIQUE
Vanneries provençales, meubles en rotin.
25, avenue de la Libération,
13210 Saint-Rémy-de-Provence.
Tél. : 49.58.50.50.

VANNERIE VAROISE
Paniers, corbeilles, malles...
Route des Playes,
83140 Six-Fours-les-Plages.
Tél. : 94.87.14.90.

FERRONNERIE D'ART

Il est impossible de les citer tous mais voici, à titre d'exemple, deux adresses de ferronniers provençaux.

GÉRARD AUDE
Meubles d'intérieur et de jardin ; copie d'ancien, restauration.
84220 Saint-Pantaléon.
Tél. : 90.72.22.67.

DOMINIQUE PESSIN
84360 Lauris.
Tél. : 90.68.17.18.

PLANTES SÉCHÉES, BOUGIES, OBJETS PARFUMÉS

Les boutiques suivantes vous proposent de quoi embaumer et illuminer votre vie quotidienne : « pots-pourris » de fleurs séchées pour les bouquets, bougies originales...

EN PROVENCE

LES FLEURS SÉCHÉES DU DOMAINE DE LA MOTTE
30800 Saint-Gilles.
Tél. : 66.87.34.45.
Autres points de vente en France : Marseille, Saint-Tropez, Port-Grimaud, Hyères, Antibes, Saintes-Maries-de-la-Mer, Arles.

L'HERBIER DE PROVENCE
à Saint Rémy-de-Provence, et Saint Paul-de-Vence (voir adresse de la maison-mère ci-dessous).

M. RAMPAL
(voir page 48).
Fabrique de savons (savon de Marseille, savonnettes...).
71, rue Félix-Piat,
13300 Salon-de-Provence.
Tél. : 90.56.07.28.

LA TASTE
Objets parfumés, fleurs séchées.
Z.A. Les Chalus,
04300 Forcalquier.
Tél. : 92.75.06.75.
De nombreux dépositaires en Provence. Écrire à Forcalquier pour avoir les adresses.

À PARIS

L'HERBIER DE PROVENCE
Tous les produits à base de plantes (plantes séchées, pots-pourris, bâtons de senteur, bougies, savons parfumés...).
Maison-mère :
Z.I. de Paris Nord,
95947 Roissy-en-France.
Tél. : 48.63.20.20.
Principaux points de vente :
à Paris : dans les 1er, 10e, 14e, 15e et 16e arrondissements.

POINT À LA LIGNE
Vous y trouverez un très grand choix de bougies aux formes originales, raffinées ou amusantes, dans une palette infinie de couleurs et de parfums, qui éclaireront avec autant de bonheur votre intérieur ou votre jardin (torches, verres luisants, pots de terre...).
177, bd Saint-Germain,
75007 Paris.
Tél. : 42.22.17.72
et 67, avenue Victor-Hugo,
75116 Paris.
Tél. : 45.00.96.80.
De nombreux points de vente en France, en Belgique, en Suisse, au Luxembourg entre autres.

Pour un souper sur la terrasse, un décor de lumière (verres luisants de Point à la ligne).

SANTONS

Les célèbres petites figurines créées par ces santonniers sont de tailles (allant de 2-3 cm à celle d'une poupée) et de styles variés, pièces uniques ou fabriquées à plus grande échelle.

EN PROVENCE

PAUL FOUQUE
65, cours Gambetta,
13100 Aix-en-Provence.
Tél. : 42.26.33.38.

ÉLIZABETH FERRIOL
31, place Voltaire,
13200 Arles.
Tél. : 90.96.69.81.

GEORGES CURSAT
Chemin de la Vieille-Font,
13990 Fontvieille.
Tél. : 90.97.71.01.

ATELIERS MARCEL CARBONNEL
Spécialisés dans les santons miniatures (de 2-3 cm).
84-86, rue Grignan,
13001 Marseille.
Tél. : 91.54.26.58.

SANTONS ESCOFFIER ET FILS
42, boulevard Boisson,
13004 Marseille.
Tél. : 91.34.10.39.

SIMONE JOUGLAS
S'inspire des santons des siècles passés à partir de gravures anciennes. Auteur de plusieurs dizaines de santons personnalisés de fabrication tout à fait artisanale.
2, place Alexandre-Labadie,
13001 Marseille.
Tél. : 91.64.17.02.
Autre point de vente : Aubagne.

À PARIS

MAISON PAVILLET
Spécialiste des santons de Provence.
50, avenue Victor-Hugo,
75016 Paris.
Tél. : 45.01.69.04.

L'architecture moderne s'intègre bien aux paysages provençaux, lorsqu'elle est, comme ici, conçue en tenant compte des volumes traditionnels des bastides. (Architecte Nasrine Faghih — Maison construite dans les collines de Viens.)

L'ATELIER DU SANTON
23, rue des Trois-Frères,
75018 Paris. Tél. : 42.52.45.51.

GEORGES THUILLIER
10, place Saint-Sulpice,
75006 Paris.
Tél. : 43.26.00.90.

POUR LE JARDIN

Vous souhaitez acheter des plantes méditerranéennes, demander conseil auprès d'un professionnel, embellir ou aménager votre jardin. Voici quelques adresses.

Plan du jardin créé par Nasrine Faghih, architecte, pour la maison ci-dessus.

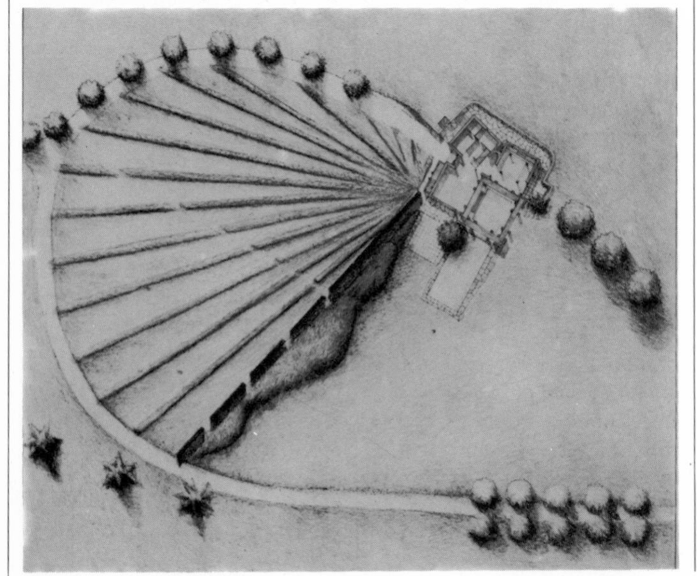

PÉPINIÉRISTES PAYSAGISTES

M. ALÈS
Pépiniériste.
RN 100 Roquefure,
84400 Apt.
Tél. : 90.74.21.64.

JEAN APPY
Horticulteur, créateur de jardins.
Quartier Trabail,
84200 Roussillon.
Tél. : 90.05.62.94.

ASSOCIATION INTERNATIONALE DES AMATEURS DE PLANTES SUCCULENTES
MARCEL KROENLEIN
Plantes grasses
B.P. 103, Monte-Carlo,
Principauté de Monaco.

M. ET MME BESSY
Paysagistes
Le Coulombier,
route du Plan-de-la-Tour,
83120 Sainte-Maxime.
Tél. : 94.96.06.74.

ELIE BONAUT
Plantes de collection.
566, chemin des Maures,
06600 Antibes.
Tél. : 93.33.51.24.

CULTURES MÉDITERRANÉENNES D'ORNEMENT
M. CUCHE
5, chemin Calieu,
13920 Saint-Mitre-les-Remparts.
Tél. : 42.80.99.61.

RENÉ EDIOSMO
Chemin départemental 61,
83310 Grimaud.
Tél. : 94.43.22.72.

JEAN-CLAUDE GARDETTE
Paysagiste
06321 Cannes-la-Bocca.
Tél. : 93.47.08.99.

FRANÇOISE GÉRIN
Pépiniériste-Plantes vivaces,
Route d'Avignon,
13210 Saint-Rémy-de-Provence.
Tél. : 90.92.01.57.

PIERRE LOUSTALOT
Quartier Pelroues,
06250 Mougins.
Tél. : 93.75.64.12.

MONTGOLFIER
Quartier de la Colette,
83260 La Crau.
Tél. : 94.66.73.65,
94.66.75.97.

JEAN MUS
Avenue Frédéric-Mistral,
Cabris,
06530 Peymeinade.
Tél. : 93.60.54.50.

PÉPINIÈRE DE LA FOUX
Chemin de La Foux,
83220 Le Pradet.
Tél. : 94.75.35.45.

PÉPINIÈRES JEAN REY
Route de Carpentras,
84150 Jonquières.
Tél. : 90.70.61.13.

PÉPINIÈRE DES TERRES BLANCHES
GEORGES CUGGIA
Impasse Donnet,
Chemin des Terres Blanches,
06600 Antibes.
Tél. : 93.33.20.01.

« LA PÉPINIÈRE »
M. CARRIER
Boulevard de la Mer,
83600 Fréjus.
Tél. : 94.51.01.36.

PROVENCE ORCHIDÉES
FRANÇOIS MAUDET
Route de Maillane,
13570 Barbentane.
Tél. : 91.95.50.72.

FRANÇOIS DE ROUBIN
Création de jardins.
Montolivet
30400 Villeneuve-lès-Avignon.
Tél. : 90.25.61.35.

SCHNEIDER SŒURS
Spécialités : plantes de collection, plantes méditerranéennes.
76, avenue du Maréchal-Juin,
06400 Cannes.
Tél. : 93.43.18.55.

MICHEL VACHEROT
Orchidées
La Baume (D7),
83520 Roquebrune-sur-Argens.
Tél. : 94.45.48.59,
94.45.45.16.

DÉCORS DE JARDINS

LA BOUTIQUE DES JARDINS
FRANÇOISE GÉRIN
Meubles en rotin, poterie, création de meubles de jardin.
Route d'Avignon,
13210 Saint-Rémy-de-Provence.
Tél. : 90.92.01.57.

LE CÈDRE ROUGE
Tout pour le jardin : bancs, statues, poterie (Aubagne, Biot, Anduze)...
22, avenue Victoria,
75001 Paris.
Tél. : 42.33.71.05.

ÉTABLISSEMENT DESPALLES
Plantes, pots (poterie de Biot et de Cliousclat), etc.
76, boulevard Saint-Germain,
75007 Paris.
Tél. : 43.54.28.98.

GREGOR
Mobilier de jardin en fonte laquée.
5, bd Edgar-Quinet,
75014 Paris.
Tél. : 43.21.34.60 ou
43.22.50.42.
(Vente par correspondance.)

UN JARDIN EN PLUS
Décoration de jardins d'hiver, meubles en rotin.
224, boulevard Saint-Germain,
75007 Paris.
Tél. : 45.44.18.67.

LE JARDIN SAINT-PAUL
Meubles de jardin (fonte, marbre, bois, fer forgé, rotin).
Réverbères, fontaines, statues...
24, quai des Célestins,
75004 Paris.
Tél. : 42.78.08.89.

GENEVIÈVE LETHU
Meubles de jardin en moelle de rotin.
1, avenue Niel,
75017 Paris.
Tél. : 45.72.03.47.
95, rue de Rennes.
Tél. : 45.44.40.35.
Autres magasins à Aix-en-Provence, Avignon, Carpentras, Nice, Salon-de-Provence, Toulon, Valence.

TECTONA
Mobilier de jardin en teck massif, parasols en toile et bois.
3, avenue de Breteuil,
75007 Paris.
Tél. : 45.55.28.24.

BIBLIOGRAPHIE

Parmi les nombreux ouvrages sur la Provence, en voici quelques-uns parus chez le même éditeur.

PROVENCE
par Luc Girard et Marie Breton.
Texte de Mylène Rémy.
Renouveler le regard sur la Provence, telle est l'ambition de ce livre qui nous propose le regard original d'une Provençale, héritière du roi René, de Mirabeau et de Mistral, sur sa propre région ; et une nouvelle vision photographique de la Provence, qui ne se limite plus aux monuments, paysages et folklore traditionnels.
Arthaud. 170 photos en couleurs et en noir et blanc.

LA PROVENCE
par Michelle Goby.
Cet ouvrage étudie et illustre les aspects les plus caractéristiques de la nature et de l'art provençaux, éclairés par les vicissitudes historiques. Avec, pour toile de fond, les fêtes, les croyances traditionnelles et les nombreux festivals qui, l'été, emplissent ses villes d'une foule cosmopolite.
Arthaud, 140 photos en couleurs et en noir et blanc.

Mobilier de jardin créé par Hervé Baume en Avignon (voir page 258).

SOLEIL EN PROVENCE
par Samivel.
Ce livre rend justice et hommage à la vraie Provence, celle qu'on ne découvre qu'à force de patience et d'affection, celle dont un visiteur hâtif ne peut même pas soupçonner la présence : un pays digne, héritier d'un passé tumultueux, plein de beautés insolites, de la chaude humanité d'un pays très défendu et très secret, comme le sont d'ailleurs, ses habitants. Pays multiple aussi, où la nature et les hommes résument un plus vaste univers, où scintillent beaucoup d'astres et de soleils...
Arthaud. 137 photographies en noir et blanc.

ÉCOLE D'AVIGNON
par Michel Laclotte et Dominique Thiébaut.
A deux reprises, au cours des XIVe et XVe siècles, Avignon fut le foyer d'une activité picturale intense.
Au cours de chacune de ces périodes, un style original naquit, le style d'une véritable école.
Michel Laclotte, esquissant une vue d'ensemble sur la création picturale à Avignon et en Provence au cours de ces deux siècles, analyse le style des principaux maîtres et le jeu subtil des rapports qui lient certains d'entre eux aux grands mouvements de la peinture européenne, puis Dominique Thiébaut dresse le catalogue exhaustif raisonné de tous les tableaux et peintures murales peints en Provence aux XIVe et XVe siècles.
Flammarion. Plus de 300 photos en couleurs et en noir et blanc.

PROVENCE,
CÔTE D'AZUR ET CORSE
par Roger Liret, dans la collection Atlas et Géographie de la France moderne.
Les auteurs mettent en évidence trois aspects de la région : c'est là que se polarisent depuis plus de vingt ans les rêves de vacances de la

Une fenêtre provençale. Dessin de Leslie Forbes.
(Extrait de « Saveurs de Provence ». Flammarion éditeur.)

plupart des Français et de beaucoup d'étrangers, c'est là également que se situe une des plus vieilles cités du monde méditerranéen : Marseille ; c'est là enfin que derrière ces deux ensembles caractérisés par une expansion vigoureuse, se dessine une Provence rurale, pleine de charme.
Flammarion. Illustré de nombreuses cartes et photos en noir et blanc et en couleurs.

SAVEURS DE PROVENCE
par Leslie Forbes.
Toutes les senteurs, les saveurs, les couleurs des marchés et des tables de Provence racontées et illustrées en une merveilleuse promenade gourmande. Une façon toute nouvelle de découvrir la cuisine provençale à travers ceux qui la font. Où la goûter ? Comment la réussir ?
Avec un appétit d'authenticité, une passion pour les hommes et leur terre, l'auteur nous fait voir, grâce à la fraîcheur de ses pastels et ses anecdotes piquantes, la Provence des villages de montagne, celle des fermes et des vignobles, celle des villes et de leurs bons restaurants et nous invite à goûter cette région comme si un ami, dans chaque village, nous attendait pour nous accueillir à sa table.
Flammarion. Illustré par l'auteur de dessins en couleurs

LES HERBES
Dans le jardin, la décoration, la cuisine
par Emelie Tolley et Chris Mead.
Splendide évocation de la beauté des herbes aromatiques dans le jardin, de leurs couleurs et de leurs parfums à travers les pièces de la maison, de leurs saveurs dans la cuisine ; ce livre très complet fait une grande part à la Provence à travers ses 450 photographies en couleurs.
Flammarion.

REVUES

MAISONS ET DÉCORS MÉDITERRANÉE
Revue de décoration mensuelle publiée par la Compagnie Méditerranéenne d'Édition à Aix-en-Provence.

PROVENCE
Un numéro spécial de la *Revue des Monuments Historiques de France.*

VIEILLES MAISONS FRANÇAISES
Revue paraissant 5 fois par an.
93, rue de l'Université,
75007 Paris.

QUELQUES BONNES ADRESSES AU FIL DES PAGES

CHÂTEAU DE BARBENTANE
(pages 17, 38, 56, 68, 75, 90, 98, 100, 101, 102, 110, 111, 117, 194, 198 et 201).
13570 Barbentane.
Parfait exemple de goût classique en terre provençale, ce château appartient depuis sa construction aux marquis de Barbentane qui l'habitent toujours.
Visite de Pâques à la Toussaint tous les jours sauf le mercredi.
Tous les jours en juillet, août, septembre.
En hiver, le dimanche seulement.

CHÂTEAU DE ROUSSAN
(pages 1, 9, 109, 112).
13210 Saint-Rémy-de-Provence.
A 2 km de Saint-Rémy-de-Provence, sur la route de Tarascon.
Demeure du XVIIIe siècle (classée monument historique), transformée en hôtel de charme.
Ouvert du 22 mars au 22 octobre.

ÉMILE GARCIN
(pages 125 à 137).
Agent immobilier.
8, boulevard Mirabeau,
13210 Saint-Rémy-de-Provence.

HOSTELLERIE DE CACHAREL
(page 113).
Le Mas de Cacharel,
13460 Saintes-Maries-de-la-Mer.
Tél. : 90.97.84.08.
A 4 km des Saintes-Maries-de-la-Mer.
Hôtel-restaurant d'ambiance tout à fait camarguaise.
Fermé du 15 novembre au 1er avril.

MUSÉE HISTORIQUE DE LA FAÏENCE
Moustiers-Sainte-Marie.
Visite du 1er avril au 31 octobre.

DOMAINE TEMPIER
(pages 34, 119).
Le Plan du Castellet,
83330 Le Beausset.
Tél. : 94.98.70.21.
Vignoble cultivé en restanques sur les collines du Castellet, du Beausset et de la Cadière.
Vins rouges et rosés.

MAS D'AIGRET
(page 3).
M. Brunet.
Les Baux-de-Provence,
13520 Maussane-les-Alpilles.
Un hôtel-restaurant en partie troglodytique situé au pied du château des Baux.
Fermé en janvier, février, mars.

Dessin de Leslie Forbes. (Extrait de « Saveurs de Provence ».)

DEHILLERIN
18-20, rue Coquillère,
75001 Paris.
Tél. : 42.36.53.13.
Matériel de cuisson, de présentation de coutellerie, batteries de cuisine en cuivre.
Le plus célèbre fournisseur de batteries de cuisine en cuivre telles que celles que vous trouvez pages 134-135 ou 236.

INDEX

Penture en fer sur une porte d'une ancienne maison de Ménerbes (photo J. Verroust).

© Charles Deméry